Amar Se Aprende

Descubre Cómo Amar y Ser Amado

Efraín Duany Jr

&

María Begoña Tortolero

Serie: Cómo amar y ser amado

2019

Amar Se Aprende. *Descubre cómo amar y ser amado*

AGRADECIMIENTOS

A Dios, principio y fin de mi ser. A toda persona que ha dejado en mí una ráfaga de amor, dándome la oportunidad de conocer a Jesús. Y a ti, por el tiempo que pasaremos juntos mientras lees este libro.

ÍNDICE

Introducción

INTRODUCCIÓN

Hay seres a los cuales el experimento de vivir les resulta un quehacer apasionado. Seres comprometidos con lo sagrado, que dibujan claras huellas en su transitar porque vivieron la extraordinaria experiencia de haber sido transformados por el amor. Este libro está dirigido a aquellos seres sensibles que buscan comprender los problemas que enfrentan en su vida, y las situaciones que viven los demás. Dirigido especialmente a ti, que buscas conocerte a ti mismo, y sueñas con trascender.

Tal vez conocerte no había sido un desafío antes de leer cada capítulo de este libro. Quizás acostumbras a resolver tus problemas y a guiar a los demás casi sin saberlo, solo basándote en tu energía e intuición, pero durante la lectura, darás nombre a la información que ya conoces en un nivel superior, logrando tu autoconocimiento, que es la primera competencia de la Inteligencia Emocional. Competencia que abre la puerta al resto de tus capacidades emocionales.

Esta lectura te atrapará, si eres de aquellos que viven en este mundo con el propósito de poner sus dones a disposición de los demás, para poder ayudarles a recorrer su camino y actuar ante cualquier obstáculo que pueda llegar a aparecer en él. Con toda certeza, llevará tu liderazgo a otro nivel, y llegarás a ser más efectivo en el proceso de guiar a otros que son impulsados por tu determinación y entusiasmo.

Finalmente, aprenderás a vivir con serenidad mental, pasando por un proceso racional; introduciendo pensamientos, ideas y conocimientos que llegarán a tu mente con facilidad, y con la intención de conocerte a ti mismo. Te harás preguntas que te llevarán a la autorreflexión y la autocrítica. Leerás historias pragmáticas que elevarán el modo en que miras las relaciones con los demás, a fin de poder avanzar hacia tu bienestar emocional.

1 CONÓCETE A TI MISMO

1. Cuanto más te conoces a ti mismo, más conoces y amas
a Dios.

Descubre lo que te mantiene alejado de Dios

—Marta, Marta, afanada y turbada estás con muchas cosas.
Pero sólo una cosa es necesaria; y María ha escogido la buena
parte, la cual no le será quitada, —le respondió Jesús a Marta.

Pero esta mujer afanosa se preocupaba con muchos
quehaceres, y acercándose, dijo:

—Señor, ¿No te da cuidado que mi hermana me deje
servir sola? Dile, pues, que me ayude.

Este fragmento bíblico, de Lucas 10:38-42, nos dice una
verdad dura: Conocer nuestros apegos a las pequeñas cosas es
una manera de comenzar a conocernos a nosotros mismos, y
derribar las barreras que nos impiden pasar más tiempo en la
presencia de Dios.

Mientras divaguemos en las pequeñas imperfecciones, sin atender lo esencial, que es saber de dónde vinimos y hacia dónde nos dirigimos, jamás podremos tener a Dios como parte de nuestra historia, sería como vivir sin sentido. Puedo decirte que el Señor no corrigió a Marta porque estaba preparando aquella comida. No, ella lo invitó a su casa, y Él había aceptado su invitación. Pero en Marta, una mujer súper ansiosa, afloraron los celos y la rabia, que al parecer, permanecían en su corazón y en su mente hacia su hermana. Fue su pensamiento desatinado lo que la llevó a desaprovechar ese encuentro con el Señor. Lo más probable, era que Él estaba agradecido por la comida; ese no era el problema que merecía aquella corrección. Sencillamente puedo decirte que Marta no se conocía a sí misma como para poder complacerse en la presencia del Señor.

A lo largo de todo este libro te guiaremos en un viaje personal hacia ti mismo. Si deseas conocerte, debes llevar el corazón en la mano, es decir, ser sincero contigo y estar dispuesto, si fuera necesario, a transitar por senderos que pueden ser dolorosos. Tras el dolor, si se presenta, llega el crecimiento personal. La odisea de la vida es la búsqueda de quiénes somos, conscientes de las acciones y los efectos que creamos en nosotros y en los demás. Tú necesitas aliento y coraje para realizar un cambio de mentalidad, que resulta indispensable si quieres dar el paso hacia el autoconocimiento.

Ten en cuenta que nadie se conoce a sí mismo en su totalidad, el Señor vendrá un día, y lograremos vernos tal como Él nos ve. Resulta más fácil autoengañarnos con falsas ideas sobre quiénes somos. Comienza prestando atención a lo simple de tu vida, a la rutina que llevas a diario, a lo que llega a tus oídos…a lo mejor te han dicho que eres impaciente o poco compasivo, y puede que respondas: "yo no soy así…" Puede que te sorprendas al escuchar cosas sobre ti que no habías notado en tu cotidianidad. Atrévete a preguntarle a un familiar qué ve de malo en lo que haces. Y prepárate a escuchar pequeñas cosas imperceptibles para ti. Para esto debes ser valiente, pues estarías intentando conocerte. Muy pocos conocen sus imperfecciones, pues estas son evidentes a los otros, pero no así a nosotros mismos. Cualquiera llega fácilmente a aceptar como verdad una realidad que es falsa, sin ser consciente de ello. Por eso vale la pena preguntarse: ¿Quién soy? y ¿Hacia dónde voy?

A veces las pequeñas cosas a las que nos aferramos no nos permiten vernos a nosotros mismos tal como somos. Esta condición humana nos lleva a crear *Apegos*. Sin darnos cuenta, nos apegamos a las personas, los hijos, las ideas, las rutinas, y los planes que nos separan del corazón de Dios por estar adheridos a lo pasajero.

En cierta ocasión conocí a alguien que me invitó a su casa, estaba todo en su santo lugar, los muebles en perfecta limpieza, la mesa servida con los platos, cubiertos y servilletas. Subí al segundo piso, no me sorprendió encontrar las habitaciones bien arregladas, las camas hechas sin arrugas en sus sábanas...todo era reluciente e impecable. Pero nadie podía sentarse en los muebles, parecía más bien una tienda, que un hogar cálido que denotara una convivencia familiar. Puedo asegurar que esta persona estaba apegada a la limpieza. Para confirmar aún más mi apreciación, y oportunamente dejar un hilo de conciencia, le pregunté:

—¿Cómo haces para mantener esta casa en perfecto estado de pulcritud?

—¡No! —respondió desconcertada—, sólo me gusta la casa bien arreglada para no perder tiempo en la limpieza. —Confesó con un poco de malestar y alteración emocional.

Entonces corroboré la hipótesis inicial, su actuación era inconsciente, lo que la llevaba a aferrarse a las pequeñas cosas, en este caso, a la obsesión por la limpieza.

Ahora bien, si esta persona se conociera a sí misma, no se agitaría por esta pregunta, ni le provocaría algún malestar. El autoconocimiento implica la posibilidad de describirnos de la manera más real y objetiva posible en los aspectos

3

esenciales de nuestro ser: nuestros apegos. Por eso, durante todos los capítulos del libro, insistiremos en el proceso del autoconocimiento, que debe estar ligado al plano consciente, intencional, para no caer en una idealización de quiénes somos. Por otro lado, también suele ocurrir encontrarnos con personas que conocen más a su pareja, a sus hijos y a sus padres, que a ellos mismos.

La falta de conocimiento personal se extiende a todas las áreas de nuestra vida. En otra ocasión, entrevisté a una persona que se destacaba ante sus compañeros por la antipatía con sus pacientes. Después de escucharla por más de media hora, le pregunté:

—¿Te consideras una profesional compasiva con tus pacientes?

Ella no dudó en responder afirmativamente. Esta distorsión de la realidad se acompaña de algunas características peculiares: incapacidad para reconocer errores, arrogancia, sed de poder, rechazo a las críticas, narcisismo y persecución de objetivos poco realistas... en fin, pare de contar. Por eso es importante conocernos a nosotros mismos, para aceptar nuestras imperfecciones. Solo así podrás cambiar lo que encuentras dentro de tu ser.

El autoconocimiento es una herramienta para tratar problemas de autoestima, crecimiento personal, y autorrealización. A propósito del deseo de lograr cosas importantes en la vida, la falta de autoconocimiento obstaculiza el proceso de futuras generaciones, lo que puede estar presente de diversas formas, por ejemplo, cuando un padre se aferra a la idea de que su hijo herede sus ideales egoístas, y esta herencia lo separa de su autorrealización. Para ilustrar esta idea, nos sirve el caso del padre médico que infunde su apego a la profesión en su primogénito. El joven hijo, luego de varios fracasos en la carrera de medicina, por fin logra descubrir su pasión por las ingenierías, esto posterior a obtener los resultados en una entrevista vocacional.

Desconocer sus propias habilidades lo llevaba a fracasar, a desconfiar, y a sentirse inseguro de su inteligencia.

Darse cuenta de su interés por las ciencias matemáticas, a diferencia de lo que pensaba su famoso padre, lo llevó a encontrar una vocación. Conocerse lo hizo sentirse libre y en sintonía con su ser. En una profunda reflexión llegó a decir: "Me di cuenta de que no era quien creía que era, por lo que empecé a superar mis inseguridades y mi ansiedad para mostrarme como en realidad soy". En este sentido, cumplir las expectativas de los demás es un precio muy alto que se paga con fracasos académicos o personales. Pero, a pesar del fracaso, y de pasar por el trance de no conocerse, aunque pueda parecer raro, también de los fracasos descubrimos fortalezas que nos hacen sentirnos útiles. Las personas aprendemos, sobre todo, de aquellas situaciones que nos sacuden el alma, que son las que más nos ayudan a saber quiénes somos.

¿Cómo empezar a conocerse a uno mismo? En el caso del joven, él recibió una orientación profesional, lo que le ayudó a descubrir sus intereses vocacionales, y darle sentido a su vida. Tomó tiempo para realizar ejercicios de autoconocimiento; y uno muy potente fue la escritura emocional. Escribir un diario durante semanas y meses puede llevar a un entendimiento profundo de hacia dónde estás llevando tu vida. Escribir un diario es una manera de hacer surgir el yo interior. Esto proporciona el diálogo entre la imagen personal ideal (la que esperaba el padre) y la que tenía de él en ese momento. Una actividad tranquila mediante la cual pudo centrarse y escribir lo que no estaba listo para expresar en voz alta. Algunas preguntas que se respondió, y lo ayudaron a realizar la introspección fueron: ¿Quién soy? ¿Qué amo? Y ¿Qué le diría a mi yo en el futuro?

Dejemos claro que crecer como persona es un proceso que dura toda la vida. Si tus pensamientos sobre el futuro son oscuros, negativos o limitantes, sé consciente de que puedes cambiarlos. ¿Cómo? Dando un sentido importante a tus experiencias de vida. No porque hayas vivido experiencias traumáticas debes quedarte anclado en ellas. La vida no te da lo que quieres, sino lo que necesitas para avanzar. Es por eso que te recomiendo crear una Línea de Vida con tus experiencias y aprendizajes. Al final de este capítulo te detallo cómo hacerla. La experiencia enseña que no siempre tomamos el camino apropiado, y que podemos encontrarnos en una situación en la que nos sentimos lejos de nuestra propia esencia. Esto nos lleva a vivir como en piloto automático, distanciados de nuestros sueños, nuestras aspiraciones y nuestras necesidades.

Otras cosas que ilustran una parte absurda de los apegos son todas esas inclinaciones diarias que se convierten en imperfecciones, sin apenas darnos cuenta, pero que nos alejan del amor hacia los demás. Cuando nos apegamos a cosas pequeñas, a veces tan tontas como a un objeto preferido, un bolígrafo que escribe perfecto, o un automóvil nuevo, que no toleramos que se desgaste por el uso, y llegamos aun a quejarnos de las personas que tienen la desventura de compartir su uso. Una vez escuché una pequeña discusión entre hermanos... el mayor le dijo al pequeño de la casa: No ensucies mi carro, porque lo acabo de lavar, ten cuidado... incluso le puso aquel ambientador con olor a nuevo. Ese olor que lo apegaba al logro de haber comprado su automóvil deseado. Pero el tiempo de compartir entre hermanos para conocerse mutuamente, después de crecer, ya no era importante entre ellos, había quedado relegado.

Así como se describe al inicio, los celos de Marta demuestran que existía una rivalidad que no había sido tratada, y que la separaba de María; una condición que la separó también de Dios. Tal vez conocer las propias emociones negativas en Marta la hubiese acercado a la persona correcta, a nuestro Señor Jesús. El conflicto no resuelto en Marta la hizo no querer compartir el amor del Padre junto a María, lo quería exclusivamente para ella. La escena describe bien esa confrontación infantil, al ver cómo su hermana gozaba de la presencia del Señor que a ella le había sido negada por aferrarse a los quehaceres del hogar.

Esto la privó de la atención que quería solo para sí. Este tipo de apego inseguro lo veremos en el siguiente capítulo. Damos por hecho que hemos compartido lo suficiente en nuestra familia, que poco importa un momento para mirarnos y darnos apoyo en las pequeñas cosas cotidianas. Nos aferramos a lo innecesario para no saber quiénes somos, como en el caso del automóvil nuevo, donde un deseo cumplido se convierte en una excusa para aferrarnos a un triunfo.

Y por último, el apego más doloroso, sin duda alguna: el duelo a la pérdida de un ser querido. Cuando ese alguien que ya se ha ido puede mantenernos enojados, aún con Dios. ¿Por qué estar enojados con Él? Él es el Señor del universo. Cuando pasamos por una situación similar de dolor y angustia, corresponde confiar en Dios, creer que todo lo que ocurre en nuestra vida está en perfecta armonía con el plan que tiene para nosotros, definitivamente, es una convicción necesaria para elevar nuestro espíritu y llegar al autoconocimiento. Así que, si queremos vernos con claridad, resulta esencial pedir al Espíritu Santo que nos guíe a toda la verdad, incluyendo las verdades más profundas sobre nosotros mismos, que se esconden en nuestro subconsciente, en caso contrario, nunca podremos vernos con mayor iluminación.

En este momento, aprovecha la lectura para introducir una nueva idea en tu mente. Idea que puede ayudarte a comprender un poco más sobre el tema: nuestras imperfecciones separan nuestro corazón del amor de Dios. ¿Cuáles son las imperfecciones que te mantienen diariamente aferrado y no te permiten conocerte?

Propóntelo, y hazlo

En la tarea de conocerse a uno mismo, en primer lugar, debes tener en cuenta dos dimensiones:

Primero, considera la naturaleza espiritual en tu vida: El autoconocimiento va de la mano del conocimiento de Dios. Entender quién soy, sin considerar mis orígenes, es como vivir de espalda a la realidad. Nuestra identidad solo puede ser entendida en la persona de Cristo Jesús, nuestro Señor. No puede haber un conocimiento interno sin un conocimiento de Dios. Al comenzar esta tarea de meditación, ten la confianza que Él nos está guiando, a fin de que podamos encontrar la luz que nos lleva a la verdad de quiénes realmente somos. Pídele a Dios que mantenga impregnada tu mente con ideas tan claras como esta: *Somos Hijos de un Dios amoroso que nos ama, y Él quiere convencernos de esta verdad.*

Recuerda que las capas que nos sumergen, son los apegos. Estos que a diario no nos permiten vernos más claramente, y nos mantienen condenados a permanecer igual, y a empeorar con el tiempo la relación con los demás. Marta fue un ejemplo poderoso de lo que significa aferrarse a los apegos diarios, lo que impide pasar tiempo en contemplación con el Señor. Como decía Jung, cuando haces consciente lo inconsciente, puedes elegir. Porque no podemos cambiar algo de lo que no somos conscientes, esta inexperiencia nos lleva al sufrimiento y a buscar la felicidad en lugares vagos.

En segundo lugar, comprometerte a cambiar tu mentalidad es un proceso individual. Cuando llegas a este punto, debes cambiar y conectarte de nuevo con tu propia identidad. Examina cómo está tu mundo interior y exterior y cómo te relacionas con las personas más cercanas. Entonces debes pasar a la acción y transformarte, tal como le sucedió al joven que encontró su vocación. A cada quien le corresponde conseguir su propósito en la vida. De esta manera podrás recuperar tu bienestar y tu nivel de autosatisfacción.

Y en tercer lugar, realiza la línea base de tu vida. Es allí donde sitúas los acontecimientos más importantes de tu historia, paso a paso.

Esta herramienta de autoconocimiento es muy útil. Para ello, dibuja una línea recta horizontal. Traza una pequeña línea perpendicular al inicio, marcando así el año de tu nacimiento. Luego, traza otra al final, que representa la actualidad. Piensa dónde se intensificaron los momentos que provocaron algún cambio. Ubica dónde se encuentra tu pasado y dónde se encuentra tu futuro. La respuesta tiene que estar muy bien delimitada en la hoja.

LINEA DE VIDA

1. Ahora tendrás que ir marcando los acontecimientos importantes en la línea de tu vida. Puedes ayudarte haciéndote preguntas sobre ¿Cómo te sentías en ese momento? ¿Qué fue lo más importante de ese momento? ¿Qué aprendiste de aquello? ¿Cómo podría mejorar "eso" en el futuro?

2. Haz una lista con todos los eventos significativos desde que naciste. Partiendo desde ese momento, elabora esa línea de vida y explica de qué forma te influyó cada evento, persona, lugar, hasta el momento presente.

3. Escribe todo aquello que has vivido y que tenga importancia para ti: experiencias, personas que te marcaron, problemas, detalles significativos.

4. Haz memoria, y si te cuesta recordar cosas de tu infancia, habla con familiares y amigos de esa época. Simplifica eventos similares estableciéndolos en rangos de edad.

5. Finalmente, en la línea de vida creada, puedes añadir colores, y responder a estas preguntas:

1. ¿Hubo algún momento de crisis o de grandes cambios?

9

2. ¿De qué forma te influyó conocer a esas personas que impactaron tu vida?

3. ¿Ves patrones que se repiten?

4. ¿Qué es aquello para lo que sientes que la vida te está "entrenando"?

5. ¿Cómo cambiaron tus valores a lo largo del tiempo?

El producto que obtienes tras realizar tu línea de la vida, será para ver los momentos más significativos desde otra perspectiva. Verás cómo nada sucede por casualidad. Todo es producto de tu mente, y de la realidad que vives día a día. Cuando hagas el ejercicio, serás consciente de qué te estoy hablando. La vida es tan compleja, que a veces olvidas lo que más te influyó. Muchas de las experiencias que viviste forman parte de tu día a día, sin darte cuenta. Si quedaron grabadas, "fijadas" en tu inconsciente, puedes descubrir aquellos momentos decisivos que viviste, y que te transformaron. Experiencias y comportamientos que se repiten automáticamente. Vivencias que te llenaron de energía, y lecciones que aprendiste.

2 EL DON DE SER TÚ MISMO

2. El autoconocimiento solo puede ser producido por la obra
del Espíritu Santo.
Descubre tus límites y tus potencialidades

La felicidad es ese sentimiento de satisfacción absoluta, es lo que sentimos cuando estamos en una situación en la que nada nos falta. Dios nos dice que él nos creó para que fuésemos felices. Cuando aceptamos su regalo de perdón por medio de Cristo Jesús, estamos afianzando el poder de ser felices, porque estamos separándonos del pecado. Recibimos el poder de la libertad emocional cuando nos despojamos de los comportamientos que nos esclavizan o condicionan a actuar de una determinada forma.

Si nos analizamos, en cada uno de nosotros podemos encontrar a su vez, a tres personas: Una de ellas, la persona que creemos que somos, esta imagen del "yo" que tiene cada quien, la construcción mental de cómo nos percibimos. Esto es autoconcepto, que incluye todos los parámetros relevantes: desde la apariencia física, hasta las habilidades o creencias. Aunque, relacionado, no es lo mismo que el autoconocimiento, que eleva al ser humano a un plano espiritual. La otra parte es la persona que otros creen que somos, es decir, la idea que los demás tienen de mí, que puede estar mediatizada por los semblantes o "máscaras" que usamos para relacionarnos y proyectarnos en la vida. A veces los demás tienen simplemente una imagen de nosotros, parcial o cercana a lo que somos. Y la tercera, la persona que somos realmente: Consiste en la opinión emocional profunda que tenemos de nosotros mismos, y que sobrepasa en nuestros motivos la racionalización y la lógica de cada quien. Es la que descubrimos a través del autoconocimiento real. Conviene, que estas tres personas mencionadas estén bien integradas para que podamos ser verdaderamente coherentes.

En este capítulo, te invito a explorar y a descubrir tu potencial como ser humano, a identificar todo lo que funciona bien en tu vida y a comprender cómo fortalecerlo. Continúa leyendo, así podrás ir descubriendo diferentes métodos y herramientas. Te invito a emprender un viaje hacia ti mismo. A lo largo del libro, haremos un recorrido a la interioridad de nuestro ser, un viaje de regreso hacia la luz, a ese espacio íntimo, el más nuestro, y también el más universal que hemos perdido: la necesidad de saber quiénes somos.

Lo perdemos en lo cotidiano, en nuestra realidad continua, y pensar en ello nos lleva nuevamente a la historia inicial de Marta, quien obtuvo una respuesta directa del Señor: Marta, Marta, ¿por qué te preocupas por tantas cosas? Hay algo más importante, María lo ha elegido, y nadie se lo va a quitar.

Nuestro examen de conciencia es el espejo en el que vemos nuestros logros y nuestras dificultades. Por eso debemos afrontarlo con sinceridad y amor. No perdamos el tiempo mirando nuestras propias miserias; elevémonos a la luz de Dios y busquemos la manera de hacer cosas que puedan fortalecer nuestra forma de ser. Esto te traerá una sensación de paz. Aquí no se trata de intentar ser bueno, sino de confiar en Dios. Puede que te digas a ti mismo: yo me conozco, yo sé quién soy... puede que trates de hacer por ti lo que sólo Dios puede hacer: ser recto ante Él por tu propio mérito. ¿Por qué sucede esto? ¿Por qué pensaría alguien que puede ser suficientemente bueno por sí mismo para ser recto ante Dios?

El don de ser tú mismo, es un regalo que te otorga el mismo Dios para tener una conciencia justa. Esto comienza cuando grabamos en la mente la idea de alcanzar una identidad que está impregnada en el amor de Dios. Aquí quiero enfatizar la bondad de Dios. Invitarte a contemplar su divinidad, dedicando tiempo a adorarlo en su bondad y amor, y así poder imitar esa cualidad del Señor. Una condición que cambia nuestras emociones, incluso las más toscas, las que tanto daño nos hacen en el momento en que deberíamos estar serenos.

Cambiamos cuando adoramos la naturaleza de Dios

Aprovecha la lectura para introducir una nueva idea clave en tu mente: *Podemos buscar lo bueno en nosotros cuando contemplamos las bondades en el Señor.* Conocerte a ti mismo con el pensamiento de resaltar el amor, porque conocer a Dios trae el amor, y conocernos trae la humildad. Elena G de White dijo que conocerse a sí mismo es un gran conocimiento. El verdadero conocimiento propio lleva a una humildad que prepara el camino para que el Señor desarrolle la mente, y amolde y discipline el carácter.

La madre Teresa lo esboza en este pensamiento: "Por eso los santos pueden decir que se sienten grandes criminales, porque vieron a Dios y se vieron a sí mismos, y notaron la terrible diferencia".

Nuestra bendición se recibe cuando pasamos tiempo adorando a Dios. En ese instante comenzamos a "modelar" a Dios porque imitamos su carácter, esto nos hace más compasivos con nosotros mismos y con los demás. Al copiar su naturaleza, nos hacemos misericordiosos. Cuando lo adoramos a Él, comenzamos a parecernos a Él. La historia inicial de Marta y María, nos sirve para recordar esta enseñanza. El Señor sabe lo que necesitamos, y cuando nos deleitamos en Él, completamos lo que nos falta.

Cuando somos niños aprendemos mediante la imitación de las figuras más próximas, por ejemplo, un niño imita a su padre en el vestir y en el hablar. Estas conductas se aprenden a diario: el niño, de tanto ver al padre vestirse antes de ir al trabajo, copia su estilo; la manera de abotonar la camisa, el gesto de agrado o desagrado por la comida servida en la mesa, el tono de voz al dirigirse a su esposa. Mucho de lo aprendido en la infancia, lo que vimos, escuchamos y vivimos, queda latente en nuestra mente, y solo después lo evocamos naturalmente.

La mayor parte de la vida de adulto la realizamos en piloto automático, sin darnos cuenta, hacemos cosas imperfectas que nos esclavizan. La rutina diaria nos aleja de lo que realmente queremos ser. Hablo de aquellas cosas que nos condicionan a la desdicha, a la inmediatez del momento, o a actuar mecánicamente ante lo cotidiano. Más bien con poca conciencia de saltar las tareas diarias para conseguir agrado en lo propio; como lo es la lectura de un libro, tal vez, el que más nos gusta; una conversación amigable con la persona que nos hace sentir comprendidos; descansar en el sillón del hogar por el solo hecho de merecer reposar; iniciar el proyecto nuevo anhelado, el que nos llevaría a invertir el dinero para trabajar menos: iniciar la clase de idioma o un instrumento musical, porque esto nos llevaría a tener habilidades completas, etc.

Con frecuencia en terapia escucho muchas ideas que limitan a la persona a conocerse; excusas sobran para no salir de la rutina cuando se trata de invertir tiempo en descubrirse a uno mismo. Siempre falta tiempo para realizar lo que uno más desea, el asunto pendiente que te lleva a salir de la zona de comodidad. La rutina se percibe como una carga, la persona misma se autoimpone su limitación. Al parecer, es fácil permanecer en un trabajo que no satisfaga, y aun profundizando en las posibles causas, la persona rutinaria no logra salir de ella. Perdió la visión profesional en perseguir la grandeza de soñar alto. En el caso de los asuntos del hogar, la crianza de los hijos y la pareja, se deja lo sublime por lo tradicional, como lo es educar para dejar el legado de la experiencia en la nueva generación. Se repite lo diario como un mandato. A veces no se sabe quién colocó los roles, ni por qué. Se perdió el propósito de educar y de enseñar para la vida. Entonces toca convencer a la persona de valorar cada momento, cada cosa que hace, y si se hace con la intención de conseguir un propósito, obtendrá su bienestar, y hasta el sentido en su vida. A diferencia, el hacer algo sin sentido, repitiendo casi obstinadamente una rutina, no proporciona satisfacción propia.

Es este sentido, debiéramos desmontar las creencias limitantes, las ideas que han sido aprendidas en el pasado y modeladas en la infancia. Nos corresponde encontrar un sentido práctico a lo que hacemos a diario, para tener una vida más significativa, para vivir con el propósito de lograr lo que más deseamos. Seguir con los mismos comportamientos aprendidos, no acaba con el malestar presente, y estos se fortalecen en la madurez.

Piensa por un momento: ¿Cuáles son las imperfecciones, aquellas que nos dan vergüenza, si las llegásemos a concretar en nuestra mente? En una oportunidad, tres amigos fueron a pescar, luego de estar lejos de la orilla, en el medio del lago, se confesaron unos a otros: El primero de ellos, un político, dijo:

—Yo confieso que he robado, en mis campañas sociales me he quedado con parte del presupuesto.

El segundo, contador de profesión, continuó:

—Yo confieso que he mentido a mis clientes, cubriendo déficit para también quedarme con parte del dinero.

Y el más joven, el tercero de ellos, no hablaba… al punto de incomodar a los otros:

—¡Faltas tú! ¡Vamos habla, dinos tu debilidad! —le increpaban.

E impulsado por la presión, se animó a decir:

—Yo confieso… que soy muy chismoso, así que al llegar a la orilla, diré a todos sus debilidades.

Somos complejos. Cuando nos hacemos adultos requerimos de la "intención" para cambiarnos, por lo tanto, mientras hacemos el recorrido hacia el autoconocimiento, un error que solemos cometer es buscar aquello que nos hace sufrir, y en tal intento, corremos el riesgo de morir. Mayormente, lo que provoca sufrimiento es nuestra mente es nuestra forma de ver el mundo y la manera de juzgarnos a nosotros mismos. Conocerte induce a un cambio de mentalidad que te lleva a manejar tu atención de forma voluntaria hacia lo aprendido. Aprovecha este momento para introducir otra idea clave: *No puedo cambiar algo que desconozco.*

Peter Scazzero dice en su libro, *The Emotional Healthy Leader*, que tu sombra es la acumulación de emociones indomadas, motivos menos que puros y pensamientos que, aunque en gran parte son inconscientes, influyen fuertemente y modelan tu comportamiento. Es la versión dañada, pero en su mayoría oculta, de quienes somos.

Una herramienta útil en terapia sería la recomendada por Henry Cloud en su libro *Integrity*. Cloud habla de estar de pie en un barco y mirar hacia atrás, mirar la estela, como una manera de ver por dónde hemos ido. Un lado de esta estela puede ser visto como nuestros logros: ¿Realmente hice lo que me propuse hacer? ¿He actuado en el nivel que establezco para mí? De no ser así, ¿por qué no? ¿Hubo algo poco realista en mis expectativas? ¿Hubo un cambio que me impidió alcanzar una meta, y cómo me siento al respecto?

El otro lado de la estela puede ser visto como las relaciones: ¿Las personas a las que he dirigido, se encontraron apoyadas o descuidadas? ¿Están entusiasmadas con sus roles, están agotadas o incluso perjudicadas de alguna manera? ¿Existen temas similares en las áreas donde ejerzo influencia? ¿Alejo a las personas de mí y me siento solo? ¿Culpo y juzgo a otros en mi equipo por mis propios defectos? ¿Actúo como si yo fuera el único que tiene cerebro y descarto las sugerencias de otros? En este momento, aquieta tu mente. Ora y toma un tiempo para meditar en estas preguntas, pidiendo al Espíritu Santo que busque en lo más profundo de tu corazón y te guíe a confrontar tu verdadero yo.

Luego, escribe en tu diario durante la lectura del libro. A medida que encuentres respuestas a tus preguntas, y el Espíritu Santo transforme tu vida, escribe tu experiencia. Esta acción tendrá un poderoso efecto terapéutico en ti. Practica además una charla con un amigo cercano, miembro de la familia o mentor, pero te sugiero que sea alguien que te conozca muy bien, e invítale a compartir una comida contigo. Durante ese tiempo, pídele a esta persona que te diga lo que más le molesta de ti. Antes de la respuesta, dile que no lo recordarás como una ofensa, y que no estarás a la defensiva (solo para escuchar con una mente abierta). Este es otro poderoso ejercicio que altera la vida en la autoconciencia.

Asume que el autoconocimiento es una condición esencial para empezar a vivir la propia vida, pautada por los propios deseos y principios y no por los deseos y principios de los demás. Este proceso de aprender a mirar hacia nuestro interior, hurgando hasta el fondo de lo que somos, nos lleva al verdadero acto del autodescubrimiento, lo que consiste en tener que concentrarnos en aprender un estilo personal, en el que cabe tener relaciones saludables con los demás; no obstante, se debe aprender sobre la persona que eres. Para esto, será importante dedicar un tiempo a conocer tu persona y tus motivaciones, lo que te gusta y lo que no, y la forma en la que percibes el mundo.

Por otro lado, en ese descubrirte te encontrarás con tu *sombra*, o el lado emocional inaceptable por tu mente, que se extiende en la relación con los demás. Un simple ejemplo: si conoces los factores que te motivan a molestarte con alguien, esto puede evitar que reacciones de forma exagerada. Tal vez hayas sentido que tu padre no te escuchaba cuando intentabas hablarle, y ahora sabes que sueles perder la compostura cuando alguien no responde tus preguntas de inmediato. Si conoces esta tendencia, podrás detenerte antes de hablarle furioso a otra persona. Para ello, repítete algo como "Me estoy enfureciendo porque esto me recuerda a mi papá. Esta persona podría estar pensando en una respuesta o quizás tan solo no me haya oído. No es necesario que reaccione de forma exagerada".

De forma tal, no te enfurecerás con la persona y evitarás dañar la relación que tengan. Incorpora a tu vida más autocontrol, cuando respiras antes de desbordar las emociones exageradas sobre los demás, y contienes la respiración mientras piensas, todo pasa en unos minutos... si lo haces a menudo, pronto tu cuerpo aprenderá a contenerse y autocalmarse. Hazlo en los momentos más difíciles, en los que sientes ira, rabia, indignación, burla, intimidación o irrespeto. Estas personas difíciles sacan de ti la *sombra*, tu lado oscuro o desconocido. Esta contención nos genera una tranquilidad que fortalece el alma.

Otra idea clave para continuar con el viaje hacia el autoconocimiento es cuando apreciamos la vida como algo pasajero; así que: *la vida es demasiado corta como para verse fuertemente afectada por problemas pequeños y sin importancia, y grandes problemas sin solución.*

Si bien es cierto, existen grandes problemas que realmente importan. Problemas que podemos resolver, como la familia y los valores, la salud y su prevención, la convivencia y las normas, entre otros. Pero habrán algunos que tal vez no podamos cambiar, como la personalidad de un amigo, un temperamento difícil, las inclinaciones políticas de alguien, las creencias religiosas, el gusto por un color. Hay pequeños problemas que realmente no importan para nada, incluyendo cuestiones subjetivas, como discutir con un padre porque su hijo es el mejor en la clase, discutir durante una reunión familiar; debatir si su candidato político favorito hizo un buen trabajo durante la última ronda de debates; disputar si Pablo tiene más habilidad en usar su laptop que Juan, y así sucesivamente, cuestiones personales de cada quien, que pretender cambiarlas es solo una simpleza.

Entonces, ante muchos casos de nuestra vida, atender a lo esencial nos mantiene concentrados en un encuentro amistoso o laboral, lo que trae bienestar o éxito. Poner mucha energía en quién está en lo correcto o en lo incorrecto no proporciona beneficios. Sentirse molesto por pequeñas cosas que no tienen consecuencias no es saludable. Endiosarnos por pretender cambiar lo imposible, resultaría en una valiosa pérdida de tiempo.

Es una tarea humana que donde hubo sufrimiento y lágrimas, haya amor y sonrisas. Todos somos merecedores de vivir con amor. Pero hay que trabajar en las emociones que nos esclavizan, y que son nuestros apegos irracionales.

Ante todo, la ocasión demanda hacernos una pregunta clásica para finalizar el capítulo: ¿Quién soy yo y hacia dónde voy? Responder este tipo de preguntas nos ayuda a comprender con serenidad lo que realmente nos hace felices; esto nos da la fuerza mental para seguir creciendo, pues es un indicador para saber si estamos en el camino correcto.

En los siguientes capítulos trataremos tópicos que te ayudarán a desarrollar un apego seguro, que te permitirá vivir tu pleno potencial. Aprenderás más sobre el amor de Dios en tu vida, desde una visión psicológica, teniendo siempre en mente que amar es algo que se aprende.

Propóntelo, y hazlo

Realiza el siguiente ejercicio: Dedica tiempo para reflexionar a solas, esto puedes hacerlo acostado en tu cama antes de dormir. Acurrúcate, ponte en posición fetal, respira profundo, implora a Dios que te ayude a reconocer lo que te aleja de tus seres queridos, e incluso, lo que te quita tiempo para ser feliz. Cuando comiences a conocerte, transformaras poco a poco tu vida. Invita a Dios a venir contigo mientras practicas la autoconciencia. Reflexiona sobre tu conocimiento del amor de Dios haciéndote estas preguntas: ¿Cuánto de esta sabiduría forma la base de quién soy como persona? ¿De qué manera experimento el amor divino? ¿Cómo sé que es verdad aun cuando no lo experimento? Si por algún motivo no te gustan tus respuestas, dile a Dios cuánto anhelas conocer su amor perfecto por ti.

Ahora mira tu vida en retrospectiva. La sabiduría que otorga la experiencia finalmente coloca cada pieza en su lugar. Descubres que las piezas se acomodan por sí solas en sus lugares correspondientes, y esto surge en ti sin que sea necesario realizar esfuerzo alguno. Cuando vives una vida en Cristo Jesús, todo encaja a la perfección. Tu tarea es descubrirlo; en el transcurso de ese descubrimiento te encuentras a ti mismo, y encuentras el lugar que te corresponde. Debes dejar que la propia experiencia te dicte su significado. Pero en el proceso de cambiar nuestro autoconcepto, siempre predominan las ideas justas sobre nosotros mismos, estas son, probablemente, más verdaderas que las ideas grotescas. La verdad es necesariamente Bella.

El Dios amoroso nos acerca al bienestar emocional sin apegos a lo innecesario. Nos acerca a interiorizar lo esencial de la vida para vernos a nosotros mismos, sin importar el falso "yo" que hayamos vivido en el pasado. Está implícito en la tarea de conocernos elevar nuestra mirada a los asuntos espirituales. Hasta que nos atrevamos a creer que nada puede separarnos del amor de Dios, no encontraremos nuestra paz interior. Nada de lo que pudiéramos hacer hará que Dios cambie su amor hacia nosotros (Romanos 8: 31-38). Dios nos dice: "Eres mi hijo, a quien amo de todo corazón".

Siente amor por ti mismo para abandonar el sufrimiento y las causas que lo generan, en lugar de estar gran parte de tu vida lamentándote por todo, y siendo "víctima" de las circunstancias; ten presente a Dios en cada momento. Eso generará en ti el sentimiento de ser un agente activo en tu vida. Ser un agente activo significa que sabes que el libre albedrío te hace responsable de hacia dónde diriges tu atención. Nunca mires hacia el pasado para traer al presente lo malo en ti. Cuando las cosas no van a ninguna parte, debes aprender a soltarlas. Pero ten en cuenta además, que hay cosas que sólo Dios puede hacer por ti, cosas que no puedes hacer por ti mismo.

En el Salmo 127:1-2 dice: "Si Jehová no edificare la casa, en vano trabajan los que la edifican; si Jehová no guardare la ciudad, en vano vela la guardia. Por demás es que os levantéis de madrugada, y vayáis tarde a reposar, y que comáis pan de dolores; pues que a su amado dará Dios el sueño." Ahora, aprovecha este momento, pídele a Dios que te muestre si hay algo que estás tratando de hacer por ti mismo que en realidad solo Él puede hacer. Sé como Abraham, o el hombre ante el juez, y recibe lo que Dios quiere darte.

Ora para que Él te guíe hacia alguien con quien puedas compartir este deseo, alguien con la madurez espiritual para viajar contigo mientras buscas conocer el amor de Dios por ti mismo. Al anclar esta expedición de autoconciencia en el amor de Dios, Él te ayudará a descubrir que "al que cree todo le es posible" (Marcos 9:23). Cuando no te guste lo que ves dentro de ti, recuerda que Dios te ama y acepta tal como eres. Responder a la pregunta ¿Quién soy yo? nos puede llevar a saber si vamos en la dirección de lo que queremos llegar a ser en Cristo Jesús.

Desde el momento que nos aceptarnos como somos, tenemos la oportunidad de avanzar en el camino del autoconocimiento con la intención de convertirnos en la mejor versión de nosotros mismos. Todo cambio que lleva a la felicidad comienza en uno mismo, porque el cambio es un proceso individual y personal, y nadie lo puede hacer por nosotros. Querer cambiar es un buen comienzo, pues cambiar es una opción que inicia con la decisión personal de pensar bien sobre uno mismo. Cambiar para lograr tu mejor versión es una opción, una manera particular de pensar, un estilo de vida, y la vida siempre te da esa oportunidad. Darte cuenta que todo aquello que no te gusta y te provoca angustia, todo aquello que te impide a avanzar en lo que quieres, ese darte cuenta, te puede ayudar a dar el paso hacia el bienestar.

3 APRENDE A AMAR

3. El amor es algo que se aprende.
Descubre la forma en que tus padres te enseñaron a amar

Lo más extraordinario de la creación, es el hecho de que el hombre fue creado a imagen de Dios (*Imago Dei*). De hecho, la interpretación de *Imago Dei* tiene una gran influencia en nuestra comprensión de lo que significa ser humanos. Dios creó al ser humano para reflejar su imagen, especialmente su imagen relacional. En Génesis 1: 26-27, se nos presenta a un Dios que convive en relación con los demás miembros de la Deidad. El corazón del universo es una relación: Dios el Hijo, Dios el Padre, y Dios el Espíritu Santo. En esta relación, el amor ágape es el principio que gobierna el vínculo relacional. "Dios tuvo la idea de una unión y una conexión de amor porque eso es lo que él mismo es como Padre, Hijo y Espíritu" (J. O. Balswick, P. E. King, y K. S. Reimer, *The reciprocating self: Human development in theological perspective*). El concepto de la imagen relacional de Dios nos enseña que no podemos alcanzar nuestro potencial a menos que descubramos nuestra identidad.

Cuando somos niños, solemos temer a la oscuridad. Se nos hace difícil cuando debemos ir solos a una habitación oscura, preferimos quedarnos en la cómoda compañía de mamá o papá, o pedir que enciendan la luz, antes que atrevernos a entrar en esa habitación intimidante. La seguridad del hogar provoca la experiencia de confiar en Dios. Cada vez que el niño llama al padre, y este está disponible para entrar a la habitación a oscuras o encender la luz, el niño instaura en su mente la sensación de poder afrontar cualquier problema más adelante. Pero la mayoría de nosotros, en cualquier momento durante la infancia, se sintió solo, esto también creó la desconfianza, y hasta el dolor de un abuso, maltrato, sudor o lágrimas.

Veamos el caso de Joaquín, que acudió a la consulta buscando ayuda profesional para superar un cuadro depresivo. Comencemos con comprender la relación con sus padres, específicamente con la madre. Él era un hombre de 35 años, viudo y sin hijos. Era el menor de cinco hermanos. Su padre había fallecido hacía cinco años y Joaquín estaba distanciado de su madre. Los recuerdos que tenía de su infancia en su hogar le eran difíciles de procesar. Aunque Joaquín era el hijo favorito de su padre, él nunca sintió el afecto, el cariño y el amor de su madre. A pesar de que ella siempre estuvo presente físicamente, le cocinaba todos los días y lavaba su ropa, nunca le dio un abrazo, ni le dijo que lo amaba. Siendo que su padre estaba más tiempo fuera del hogar por asuntos de trabajo, Joaquín creció desarrollando un apego inseguro hacia sus padres, especialmente hacia su mamá.

El problema de Joaquín no era solamente el distanciamiento de su madre: sus hermanos tampoco le daban espacio en el hogar. Ellos eran mucho mayores que él, y no les gustaba que fuera el hijo favorito de su padre, así que se produjo un distanciamiento entre ellos, lo que contribuyó a hacerle sentir un vacío emocional que lo acompañó hasta su adultez. Él fue maltratado, y sufrió acoso por parte de sus hermanos, al punto que en algunas ocasiones cuestionó su existencia en este mundo, y pensó en quitarse la vida. Se sentía desencajado de todos los que le rodeaban.

Joaquín ahora es una persona adulta, tiene serios problemas de depresión que le afectaron negativamente mientras estuvo casado, y lo siguen afectando en el presente. Siente que ni siquiera Dios lo ama, ya que si es realmente bueno como dicen, ¿por qué no ha interferido en su vida? Como no siente el amor de Dios, tampoco puede sentir el amor de las personas que lo rodean. Su depresión se activó cuando perdió a su esposa en un accidente, y desde entonces comenzó también a cuestionar a Dios por su pérdida. También tiene problemas para desarrollar sus proyectos de vida, no se siente realizado, es una persona insegura y no sabe cómo mantener relaciones, especialmente con las personas del sexo opuesto.

La falta de amor, raíz de todos los males

El problema principal de Joaquín tiene su origen en la falta de amor que experimentó en su niñez mientras desarrollaba el apego con sus padres. El daño emocional es casi irreparable cuando un niño no recibe un apego seguro, cargado de amor y cariño. Es poco probable estar satisfecho con la vida cuando en el hogar no se recibe seguridad. Así lo demostró un estudio de huérfanos rumanos abandonados en orfanatos, estos fueron rescatados y adoptados por padres amorosos con buena posición económica, y a pesar de establecer un contacto amoroso con los padres adoptivos, y mejorar su calidad de vida, el contacto con los demás seguía siendo superficial y quebrajoso.

En definitiva, el panorama emocional no es alentador para una persona que ha sido abandonada por sus padres, y que además ha recibido maltrato y hasta abuso de cualquier índole. Esta condición determina su forma de comportarse, lo que vaticina poco éxito en las relaciones que irá estableciendo a lo largo de su vida. El cerebro de un niño que está en evolución, que es moldeable, está ávido por absorber experiencias, pero sufre cambios cuando es sometido a atropellos. Aquí encaja lo que le sucedió a Joaquín. Él no aprendió a amar ni a sentirse amado en su hogar. Creció sintiéndose inseguro, poco valorado, sin el amor que otorga sentirse aceptado por los seres queridos. En muchas ocasiones reprimió sus emociones, aparentó sentirse cómodo, feliz... mostrando algo opuesto a lo que realmente sentía: soledad, inconformidad y, malestar.

El peor de los males en un niño sucede cuando las circunstancias lo obligan a disfrazar sus sentimientos de soledad o desamor, esto genera en su mente culpa por no sentirse correspondido. En una mente infantil, lo lógico sería pensar: «mis padres no me quieren porque yo no soy bueno». Además, para colmo de males, el no cumplir con los requerimientos impuestos por los demás, los hace sentir avergonzados. En el caso de Joaquín, el abandono lo llevó a sentir un malestar hacia los demás, lo que le impidió alcanzar su potencial para el cual fue creado: Amar.

Afortunadamente para todos, inclusive para Joaquín, el cerebro tiene flexibilidad, está en constante cambio. Aprendemos de las circunstancias nefastas, sacando la fuerza necesaria para sobreponernos. La fortaleza que tiene una persona para superar situaciones traumáticas, como la muerte de un ser querido, un accidente, una pérdida física o emocional, está guardada en su interior; le aparece cuando las circunstancias la obligan. Tenemos un cerebro flexible que está dispuesto a superar obstáculos. La buena voluntad, la certeza en Dios, la intención de que las cosas funcionen, crea nuevas conexiones cerebrales. El funcionamiento cerebral se pone en marcha con los pensamientos positivos: la esperanza, la fe, la buena voluntad, el perdón y los desafíos con las relaciones de confianza que perduran en el tiempo.

Aprovecha este momento para introducir en tu mente, y anotar en tu diario: *los vínculos profundos y duraderos con las personas cercanas de las cuales recibimos y damos afecto, crea en nosotros nuevas oportunidades para cambiar nuestro cerebro.*

Este principio fue vital para Joaquín, tenía que conocer a otras personas. Esto si quería superar la tristeza que sentía por la pérdida de su esposa, lo que se acentuaba más aún por su infancia difícil. Las personas somos criaturas sociables por naturaleza, hasta los introvertidos pueden aprender mientras observan a los demás. Por este motivo, interactuar unos con otros desarrolla las destrezas que llevan a superar las dificultades.

El quid de la cuestión está en compartir con personas capaces de dar y recibir amor. Podemos pensar que Joaquín es un principiante en el curso de amar a los demás. Esto por el hecho de superar una infancia inestable, emociones encontradas entre el amor y el desamor, el maltrato de los hermanos, la frialdad emocional de la madre, la adicción del padre por el trabajo, en fin... le tocó sobrevivir. No sería descabellado pensar que en esa búsqueda por encontrar la felicidad, repita el modelo de un apego disfuncional para comprobar en su mente que las personas no son confiables. Pero, la única manera de sentirse humano será mediante las relaciones sanas con otras personas.

Amar es algo que se aprende

En referencia a los padres de Joaquín, está claro hasta aquí que ellos no modelaron en su hijo lo esencial, que era conocer el verdadero amor. Él creció con un amor limitado, sin sentirse amado, por tanto, no sabía expresar sus sentimientos en sus relaciones. En su hogar comenzó a sentirse fuera de lugar. Desde el vientre de su madre Joaquín comenzó a desarrollar una carencia afectiva. Desafortunadamente, esta primera interacción madre-hijo se mantendrá durante toda la vida, y es a lo que llamamos apego. Es, sin duda, un mecanismo natural a través del cual nosotros buscamos seguridad.

El plan original de Dios fue crearnos en continua dependencia con nuestros cuidadores durante los primeros años de vida. Dependemos de un cuidador que nos defienda de diversas amenazas, hasta tener las habilidades suficientes para vivir en el mundo. Este hecho demuestra la importancia que Dios le da al amor entre nosotros. Cuando niños, el apego nos sirve para protegernos en situaciones amenazantes; como una enfermedad, o una caída, en las peleas con otros niños, o en la separación de nuestra madre. Lloramos para reclamar la atención y demandar afecto mientras no podemos hablar.

En definitiva, amar es algo que se aprende, es una habilidad que toda persona puede tener, nadie nace con esa condición. Se aprende esta habilidad por el apego. Los sentimientos de amor que se manifiestan, por ejemplo, en una sonrisa, un gesto de aprobación, o una caricia, provienen de una respuesta aprendida en nuestras relaciones con los demás. Cada quien tiene su forma de definir lo que es amor, ya que este surge de la suma total de lo que hemos vivido, y de la manera como lo hemos vivido. Esta manera personal de amar la aprendemos de lo que observamos en nuestros padres o cuidadores.

Una persona que tiene problemas en la convivencia con los demás, tendría que revisar cómo fue la relación con las figuras de apego, en vista a que esto conlleva a sentimientos de inseguridad. La recuperación de cualquier persona que quiere encontrar su felicidad, está en provocar adrede un estado de tranquilidad y serenidad; un estado en el que logre sentirse completo. Aquí entra nuevamente Joaquín, el vacío que dejó la relación con sus seres queridos, lo llenará sólo dando amor a los demás, y así experimentará el sentirse querido.

"Cuando el principio celestial del amor eterno llena el corazón, fluirá a los demás [...] porque el amor es el principio de acción que modifica el carácter, gobierna los impulsos, domina las pasiones, subyuga la enemistad, y eleva y ennoblece los afectos". (Elena G. de White, *Mente, carácter y personalidad*, t. 1, p. 209).

Ahora subraya en tu mente el siguiente principio: *El amor es una emoción que puede aprenderse, controlarse y cultivarse por el pensamiento. Las emociones se construyen en nuestro cerebro.*

Esto contradice la creencia de que las emociones que nos alejan de los demás están dentro de nosotros, y a su vez están listas para ser activadas desde que fuimos creados por Dios. Por este motivo, en muchas ocasiones confundimos los sentimientos. Es fácil llegar a pensar que alguien está enfado, cuando realmente está preocupado. No es un hecho banal, al contrario, una mala percepción de las emociones produce una confusión que puede llegar a producir graves consecuencias en nuestras relaciones interpersonales. El cerebro puede compararse con una cocina bien equipada que tiene muchos ingredientes, usa las emociones y las habilidades para tomar decisiones e interpretar la realidad.

Todos usamos las mismas redes cerebrales que nos hacen pensar, sentir y apreciar la vida; pero la respuesta depende del análisis que cada quien hace de lo ocurrido. Así las personas amorosas, las que son capaces de dar y recibir afecto, han a aprendido a gestionar sus emociones. Joaquín tenía pocas herramientas para superar su pérdida, y al parecer estaba destinado a llevar una vida infeliz. Pero puede aprender a pensar de manera diferente, dejando la mentalidad que lo ha llevado a tener un rol de víctima, haciéndose preguntas que lo saquen de ese estado de sufrimiento.

Joaquín puede aprender a ser una persona resiliente. Aplicando un enfoque basado en el avance puede decir: he terminado una etapa de mi vida y ahora debo centrarme en mí. No busco culpables, pienso aprender de lo vivido y voy a seguir adelante. Una afirmación útil sería: me niego a ser víctima de las circunstancias. Decir no a continuar alimentando ese dolor que lo hace cautivo. Pensar bien sería tener en cuenta que la humanidad ha sobrevivido a una diversidad de adversidades, y sin embargo, ha rehecho su vida y ha conseguido ser feliz a pesar de todo.

Aprovecha la oportunidad de introducir una nueva idea en tu mente: Soy una persona humana. No somos diferentes del resto de las personas que han superado una enfermedad, el abandono, la niñez traumática, la muerte del ser querido, entre otras, por tanto, tengo compasión de los demás, y puedo superar cualquier eventualidad que me proponga.

En nuestro interior hay una fuerza mental llamada resiliencia, que puede borrar en cualquiera ese rol de víctima para alzarse como la persona que somos de verdad: alguien fuerte, que puede ser feliz de nuevo. Es necesario decir que dentro de nosotros está claramente el deseo de ser feliz; el poder de Dios que nos empuja a permanecer atado al hilo de la vida para ser felices. En base a este deseo se toman todas las decisiones.

Para una persona como Joaquín, el único camino que le queda es seguir viviendo, a pesar del contratiempo que le ha tocado, y para ello, ha de verse a sí mismo como un ave fénix, que es capaz de renacer de sus cenizas y nunca como una víctima desesperanzada.

Pensar que la adversidad no detiene nada de lo que nos quede por descubrir es una actitud positiva ante la vida. Toda persona vive el amor en una forma limitada, hasta que aprende a transformar su vida, y el hecho de que alguien no ame puede deberse a la falta de conocimiento sobre el amor mismo. Si alguien desea saber sobre automóviles, lo haría sin duda, estudiando diligentemente sobre ellos. Si desea ser chef de cocina, seguramente aprenderá el arte de cocinar, tal vez incluso buscará asistir a alguna clase de cocina. Sin embargo, nunca nos parece tan obvio que, si queremos dar y recibir amor, debemos dedicar al menos más tiempo, como el mecánico o el chef, a estudiar y aprender a amar. Ningún mecánico o cocinero, alguna vez creería que el simple hecho de querer obtener conocimiento en estos campos lo convertiría en un experto en ellos. Lo mismo ocurre con el amor.

En el inicio de un duelo siempre preferimos pasar un tiempo a solas; al igual que Joaquín, te puedes quejar de la incomprensión de los amigos por esta preferencia, que en el fondo favorece al desahogo emocional, pero nunca es bueno aislarse durante demasiados días. Conocer nuevos amigos trae un gran beneficio, al fin y al cabo, es un modo de iniciar nuevas etapas, y de reiniciarse en todos los sentidos.

El termostato en la relaciones con los demás

¿Qué sucede con nosotros cuando nos sentimos fracasados o no correspondidos en nuestras relaciones? La respuesta puede estar en el sistema de apego, que viene a ser nuestro termostato en las relaciones con los demás. El termostato de nuestras relaciones nos alerta cuando, por ejemplo, el ser querido no está disponible; o cuando no nos sentimos amados, sino rechazados. Cuando nos sentimos rechazados, reaccionamos de múltiples maneras: sentimos pánico, lloramos, nos airamos, tomamos una actitud defensiva, peleamos, criticamos, nos deprimimos, nos sentimos ansiosos, nerviosos o tenemos cualquier otra reacción que nos permita proteger el apego, o simplemente evitar sentirnos heridos. Lee cuidadosamente el siguiente cuadro para comprender la base de tus relaciones:

Tipo de Apego	Autoimagen
Seguro	Imagen positiva de uno mismo y de los demás. Esta seguridad hace que te relaciones sin caer en conflictos, y cuida de no fracturar la relación con los más queridos y apreciados por ti.

Tipo de Apego	Autoimagen
Evitativo-Arrogante	La imagen de uno mismo es positiva, pero posee una idea negativa de los demás.
Preocupado	La imagen de uno mismo es negativa, y tiende a ensalzar a los otros, de manera que busca la aprobación y la valoración de los demás.
Temeroso	La imagen que reflejamos de uno mismo y de los demás es negativa.

El estilo de apego seguro se caracteriza por el predominio de una valoración positiva de sí mismo, y por la capacidad de percibir a los otros como personas en quienes confiar, accesibles y sensibles a las propias necesidades.

La persona con estilo evitativo-arrogante tiende a evitar la intimidad, tiene una visión positiva de sí mismo, y desconfía de los demás, se muestra escéptica en las relaciones de proximidad, y se protege poniendo distancia y sobrevalorando su necesidad de independencia.

Por otro lado, nos encontramos con los estilos preocupado y temeroso, que se caracterizan por tener una visión negativa de sí mismos. En el estilo preocupado, el individuo tiende a devaluarse y a ensalzar a los otros, busca la aprobación y la valoración de los demás. Estas personas pueden confiar ciegamente, sin percibir defectos, limitaciones o riesgos, y son más vulnerables a la soledad y a la depresión. Por último, las personas con estilo de apego temeroso, tienen una visión negativa tanto de sí mismos como de los otros, se autoevalúan, y tienden a permanecer en un estado de hipervigilancia, defendiéndose constantemente; tienden además, a establecer relaciones en las que se muestran reservados y suspicaces. Buscan la relación y la proximidad, pero con desconfianza y miedo a ser rechazados.

Los tipos de apego seguro y evitativo-arrogante, experimentan menor ansiedad y más confianza en las relaciones interpersonales, mientras que la ansiedad y el miedo al rechazo, es mayor en los apegos preocupado y temeroso. ¿Cómo superar un apego inseguro y evitativo? Estando consciente de nuestra tendencia, cualquier experiencia que se nos presenta a lo largo de la vida puede convertirse en crecimiento personal, siempre que se canalice para sacar lo mejor de uno mismo y lo que quiere llegar a ser, la mejor versión. Independientemente de cuáles sean los patrones de apego, una persona puede superar sus inseguridades atreviéndose a ser menos complaciente y luchar por sus gustos y necesidades, y siendo asertivo y equilibrado en sus relaciones afectivas.

Siguiendo con Joaquín, en una oportunidad invitó a una amiga a cenar, pero ella llegó a su casa una hora más tarde y no le llamó para avisarle que se retrasaría. Es razonable que él se moleste por la tardanza, pero… ¿Cómo poner en práctica lo aprendido sobre la comunicación asertiva en terapia? Bien, una conducta asertiva sería pensar en una de estas alternativas:

a) Conducta pasiva: Saludarla como si no hubiera sucedido nada y decirle: —Entra, la cena está en la mesa.

b) Conducta asertiva: —He estado durante una hora sin saber lo que pasaba. Me has puesto nervioso e irritado, si otra vez te tardas, avísame, y así harás la espera más agradable.

c) Conducta Agresiva: —Me has puesto muy nervioso llegando tarde. Es la última vez que te invito.

La opción (b) refleja tener habilidad social que puede escoger una persona que quiera afrontar su apego inseguro. Una terapia psicológica puede ser larga. Por esto, hay pequeñas cosas que puedes hacer por ti mismo.

Volver a confiar

Aprovecha esta lectura para introducir en tu mente una nueva idea que te ayudará a aumentar la confianza en tus relaciones con los demás: *Ten en cuenta que la confianza siempre debe ser tratada como relativa a una persona. Puedes confiar en algunas personas, mientras que en otras no. Necesitas saber en quién puedes confiar y en quién no.*

Esto no es difícil de hacer. Volver a confiar no significa andar por la vida revelando tus secretos más profundos a desconocidos, o a personas que solo conoces por un corto período de tiempo. Algunos secretos son menos importantes que otros. Haz una lista de tus secretos más profundos, enumerando primero los más insignificantes. Los secretos más insignificantes son aquellos secretos que las personas desconocen pero que no echarán por tierra tu autoestima o reputación si llegaran a ser ampliamente conocidos. Por ejemplo, haber traicionado a tu mejor amigo en la universidad, o haber copiado en el examen final.

Comienza compartiendo los secretos menos importantes con personas en las que crees que puedes confiar. De esta forma, puedes indagar si realmente puedes confiar en ellos o no. Si las personas transmiten tus secretos a otros, especialmente si les dices que no lo hagan, entonces sabrás que no puedes confiar en ellos. Aquí está la parte más importante: si las personas en las que crees que puedes confiar usan lo que les dices contra ti, entonces en realidad no son confiables. Usar esta orientación permite tener una idea de en quién podemos confiar. Ahora puedes ir un paso más allá con los secretos que están más abajo en tu lista, y compartirlos con las personas que parecen ser confiables. Este estilo ayuda a recuperar la confianza en las personas que te rodean.

Amor inmaduro versus amor inseguro

En el siguiente cuadro comparo algunas de las características principales del amor maduro que nos generan confianza y menos ansiedad; a diferencia del apego, que nos puede llevar a un amor inmaduro, frágil, e inseguro, que provoca dolor una y otra vez. Algunas veces, la línea divisoria entre ambos aspectos es muy delgada, y al estar dentro de una relación tóxica, no se logra visualizar con claridad lo que sucede en torno a la relación, y aunque las diferencias entre ambos sean realidades muy evidentes, las personas involucradas no lo perciben como una limitación.

Amor maduro	Apego inseguro
Es una relación abnegada. Cuando amamos, el otro se convierte en la persona más importante de nuestra vida, y procuramos siempre su bienestar.	**Es una relación egoísta.** Cuando se trata de apego, la razón para estar con alguien se asemeja más a la necesidad de no estar solos.
Es una relación de aceptación. Cuando hay amor, cada parte siente completa libertad de ser quien es en su máximo esplendor, y es feliz por su propia cuenta.	**Es una relación tóxica.** Estar apegado a alguien es necesitarlo, es sentir bienestar únicamente en su compañía, y sentir que no se puede vivir si no se está a su lado.
Hay confianza. Cuando amamos, aceptamos el hecho de que sucede simplemente lo que debe suceder, y no tememos a lo que el futuro nos tenga por delante.	**Hay ansiedad.** Cuando hay apego, siempre se esconde el miedo latente de que la pareja se vaya y nos abandone, y hay una sensación de ansiedad al pensar en el futuro.

Amor maduro	Apego inseguro
Hay libertad. Cuando se trata de amor real, las parejas se aceptan y animan mutuamente a ser genuinos, y a no temer mostrar todas sus fortalezas y debilidades.	**Hay control.** El apego, es un tanto manipulador y tiende a querer controlar al otro: su comportamiento, sus amistades, su conducta y hasta sus planes a futuro.
Hay pasión. El amor es el sentimiento más enérgico que puede existir, y parte de esa energía se manifiesta en la pasión que está presente en una relación verdadera, en todas sus variantes.	**Hay apatía.** Cuando existe apego, no hay sentimientos apasionados, sino ansiedad, paranoia o irritación.
Hay crecimiento mutuo. Cuando hay amor, la pareja crece a la par y trabaja en equipo para ser la mejor versión de sí mismos. El amor todo lo puede. Al fin y al cabo, se aprende a amar amando.	**Hay obstáculos que impiden crecer y superarse.** En el apego hay una fuerte necesidad de control y falta de habilidad para resolver los problemas, lo que puede causar una dependencia innecesaria sobre la pareja, y convierte a cada uno en una pesada carga para el otro.
El amor empodera. El amor nos hace pensar que no hay nada imposible cuando estamos con el ser amado. Nos da fuerzas y un sentimiento de libertad desconocidos hasta ese momento, y nos hace sentir que estamos listos para conquistar el mundo.	**El apego busca el poder.** Cuando es más fuerte el apego, la relación se convierte en una interminable lucha de poderes en el que ninguno desea quedarse atrás o sentirse en desventaja.

35

Amor maduro	Apego inseguro
Hay un compromiso que supera dificultades. Cuando hay compromiso, como sucede cuando se ama verdaderamente, la relación no se desarrolla de forma fácil. Hay desacuerdos, lágrimas, momentos duros y discusiones. Y al final siempre debe haber aceptación, aunque duela, porque se sabe que el amor estará ahí, para siempre.	**Hay conformismo.** El apego siempre será fácil, por la simple y sencilla razón de que no es un amor real, sino una serie de pequeñas inseguridades y expectativas depositadas en la relación de pareja u otras.
El amor es eterno. Cuando se ama, independientemente de que funcione o no la relación, esa persona se convierte en el amor de nuestra vida.	**El apego es pasajero.** Aquí el cariño tiene fecha de caducidad; siempre se mantiene en suspenso y condicionado a la forma en que la relación se dé.

En un amor inmaduro, sobresale el miedo a ser abandonado, así el resultado podría verse trágico en el momento de vivir en pareja. Si la pareja, por ejemplo, comienza a socializar más con sus amigos, tienden a pensar: «¿Ves? No me ama. Esto significa que me va a dejar. Tenía razón en no confiar en él/ella». En cambio, en una relación adulta, que profesa un amor adulto, plantea expectativas reales, claras, que a su vez incluyen libertad y respeto a las diferencias entre ambas partes. A diferencia del aprendiz perdido en sus laberintos interiores, el adulto, como sabe lo que quiere, encuentra el amor en la hora señalada y descubre al ser que ama tal como es, en sus afinidades y diferencias.

Los problemas de pareja que no se superan, están en el hecho de crear fantasías que difieren de la realidad. El tiempo desgasta a la pareja que se ve afectada por la rutina y el roce de la convivencia. Por esto, la sorpresa y la gloria de la revelación de los años primeros se van disolviendo en la niebla de la cotidianidad. No obstante, si esta diafanidad de las presencias mutuas apaga el brillo mágico del descubrimiento recíproco, puede crear, por el diálogo profundo, la resolución de todos los antagonismos a partir de una confianza plena entre ambos.

En una ocasión entrevisté en sus bodas de oro a una pareja que nunca se les veía discutir. ¿Cuál es el secreto que ustedes tienen por el cual nunca se les ve discutir? El anciano contestó: Cuando nos casamos, mi padre me dio un sabio consejo:

—Mira, siempre que tengas un problema con tu cónyuge, antes de discutir con éste, sal y camina hasta que pase tu enfado y puedas escucharlo.

Le dije:

—Creo que le ha dado resultado.

—Por supuesto que sí —respondió el anciano—, pero es mucho lo que he caminado.

Salir a caminar permite tranquilizarnos, curar nuestras heridas, quitarnos tensiones, y así poder intentar comunicarnos nuevamente sin discusiones.

Así que, tomarte el tiempo para autodescubrirte, trae la sabiduría de mantenerte en relaciones estables. En el amor adulto, aunque siempre queden cosas por aprender, sabemos lo que queremos, pero sobre todo, lo que no queremos. La vida con los demás se torna en un compartir. Estoy en este mundo para cumplir un propósito personal, individual que incluya al otro, y también al grupo de amigos, familiares, compañeros de trabajos. No por esto dejo de cumplir la misión de vida, ni tampoco abandono la relación. Resulta gracioso que, cuando uno es adulto, aunque a estas alturas de la vida tengamos una mochila cargada de cosas buenas y y otras no tan buenas, tendremos que ir aumentando su capacidad de carga o liberando espacio cuando el amor entre en nuestra vida. Superaremos miedos, limaremos diferencias, y aprenderemos el sentido completo del amor a través de la sinceridad, el respeto, y la comunicación.

Por otra parte, idealizar a la persona de la que te has enamorado, conlleva varios riesgos, como la dependencia, la obsesión y también la desilusión. Por lo tanto, el precio de cumplir con un ideal termina en decepción y ruptura. Dejar de idealizar las relaciones humanas es una opción para la felicidad. Hay personas adictas al amor, que necesitan ese subidón de energía que produce el enamoramiento. Y no es extraño, porque cuando te enamoras te conviertes en la persona feliz que siempre has deseado ser. Sin embargo, idealizar el amor puede llevarte a necesitar ese estado permanente de enamoramiento que es imposible mantener en el tiempo.

En definitiva, cuando cultivas un amor adulto, en pareja, ese será el único camino que puede permanecer en el tiempo, pese a sus conflictos y peligros internos de cada quien. En cambio, cuando intentes mantener el ideal ficticio, puedes correr el riesgo de convertirte en una persona dependiente de ese supuesto amor perfecto. No es fácil competir con la perfección, y si te encierras en la idea de que esa persona es maravillosa, tu propia personalidad quedará anulada por su excelencia. La verdadera sabiduría del amor maduro radica en saber y poder hacerlo subsistir pese a las fisuras y heridas que se infligen los amantes. El sueño de eternidad del amor no es una ficción teológica, sino obra de la tenaz voluntad humana, es decir, una creación activa y progresiva del amor mismo.

Propóntelo, y hazlo

El conocerte a ti mismo es un suceso que dura toda la vida. Pero que se consigue día a día, colocándote propósitos y haciéndote preguntas con introspección. Cada mañana pregúntate qué deseas para ese día, y qué deseas también para el día siguiente. Cuando llegue la noche, analiza cómo te has sentido a lo largo de tu jornada. ¿Has actuado como deseabas? ¿Te has expresado o defendido de acuerdo a tus propios valores? (No olvides tu diario, escribir tus pensamientos puede ser muy útil para este tipo de ejercicio).

Siente lo que sientes. Busca un momento de tranquilidad y experimenta en tu cuerpo, con todos tus sentidos, esos sentimientos, sensaciones y emociones que percibes. No ignores tus emociones, al contrario, préstales atención: si estás triste, siente la tristeza, si reconoces inseguridad, siéntela también... El asumir conscientemente lo que te está ocurriendo, te ayudará a sobrellevarlo y poquito a poco te aumentará la autoestima.

Siente lo que eres. Te toca sentir esa fortaleza interior, sí, limitada de momento por tus pensamientos, pero intenta ser consciente de que está dentro de ti. Para ello, recuerda algún momento en tu vida en que lograste algo grande, o cuando estabas motivado. ¿Recuerdas cómo te sentiste? Si lo lograste en esa ocasión ¿Por qué no ahora? ¿Qué te limita?

Esto de aprender a ser asertivos en la vida involucra conocer nuevas personas. Las relaciones sociales son una fuente de bienestar y curan el alma. Los amigos, los compañeros, la familia y la comunidad, toda aquella persona con la que nos sintamos a gusto, tienen un poder enorme que hará que nuestra negatividad disminuya. Si estamos en compañía, haremos más planes, conversaremos, nos divertiremos, conoceremos a gente nueva y, en definitiva, abriremos puertas nuevas en nuestra vida.

Recuerda que hemos tratado a los primeros años de la infancia como una estructura mental que afianza los apegos inseguros, tanto a las cosas como a las personas, y que esta determina los pensamientos sobre nosotros mismos. La vida es un continuo que nos lleva a aprender nuevas formas de comunicarnos, asertivas, individuales, independientes, estando en pareja, o solos. Mientras idealices tu relación con los demás o con tu pareja, pueden darse dos caras de una moneda: Si antes has magnificado las virtudes, ahora también puedes correrse el riesgo de exagerar los defectos, así que vas a necesitar mucha fuerza emocional para ver al amor con perspectiva. No dejes que te embarguen las emociones negativas cuando estás en pareja, retén algunas de las cualidades que te enamoraron al inicio de la relación. Establecer buenas relaciones con los demás es el camino seguro para encontrar la confianza y dejar de lado el temor que aprendimos en la infancia.

4 PROGRAMADO PARA AMAR

4. Lo que te dices determina la manera en la que percibes la
realidad y cómo actúas ante ella.
Descubre tu Guion de Vida y re-escríbelo

Todos estamos programados para amar; en el peor de los
casos, cuando una persona tiene un guión de vida que ha sido
elaborado con instrucciones específicas de desconfianza hacia
sí mismo, la condición de amar queda anulada por los
mandatos egoístas que hemos recibido en la infancia. Este
capítulo nos alienta a superar las limitaciones que tenemos,
limitaciones que responden al guión de vida inconsciente.
Como muy bien lo describe la conocida frase: "cuando la
mente habla, el cuerpo escucha", y uno actúa de acuerdo a
este mensaje.

Entonces, ¿Cómo puedes cambiar esto, cuando tu diálogo
interno es negativo? La mejor manera de hacerlo consciente,
es prestando atención a tu propio diálogo interno. Ese que es
tu sugestión, por el cual te sometes a él diariamente. Ese
discurso que tienes de ti mismo es lo que conforma la

programación que te codifica para lograr cosas y alcanzar el propósito de tu vida. Y desconocerlo, te impide lograr tus más anhelados deseos.

Aprovecha ahora para estar consciente de lo que te dices a ti mismo en cada momento. Escucha lo que te dices. Te has dado cuenta que a veces tratas de hacer algo y te sale mal, entonces el primer pensamiento que viene a tu mente es: «Soy un tonto, nunca voy a poder hacer esto bien» Esto es negativo, y la manera de cambiarlo, por ejemplo es contestando: «¡Ah! Está bien... no pasa nada, ahora soy consciente que he cometido un error, sin embargo, estoy aprendiendo. Ahora sé lo que he hecho mal y puedo tratar de hacerlo nuevamente. Cometer un error no significa que soy un error»

En la programación infantil están guardados los rasgos de nuestra personalidad, muchos de ellos permanecen tamizados en lo más profundo de nuestra mente. Pero el problema aflora cuando entramos en nuestra "zona de comodidad", ese estado en el ser humano que es el lugar más difícil para salir. Por lo tanto, podemos decir que además de lo que se considera importante, de lo que está tamizado, está la manera en que nos hemos definido a nosotros mismos; es decir, la respuesta a la pregunta: ¿Quién soy yo? y esa respuesta se encuentra en lo profundo de nuestra forma de ser.

Ahora, ¿cómo nos definimos a nosotros mismos? ¿Quiénes somos? Si te desanimas rápidamente ante un objetivo, distrayéndote en lo poco esencial, tal vez la base del problema lo tienes en el guión de vida. Allí te has dicho que hay ciertos obstáculos que son muy grandes para ti, o que eres demasiado pequeño para ellos. Esto da lugar a preguntas como, por ejemplo: ¿Por qué actúo con tanta falta de compasión hacia mí mismo y hacia otros? ¿Por qué sigo haciendo lo que me hace daño, a pesar de conocer las consecuencias? ¿Por qué como sin control, fumo, o bebo alcohol? ¿Por qué me llevo mal con mis hijos, pareja o compañeros de trabajo? ¿Por qué no puedo mantener una pareja, o un trabajo? ¿Por qué no puedo ser estable?

La respuesta honesta que podemos dar a estas preguntas ya la conocemos: nos han elaborado un guión de vida que nos lleva a comportarnos de forma positiva o negativa. Ahora comienza a hablar en forma positiva acerca de ti mismo. Debes formar el hábito de NO tolerar pensamientos negativos. El diálogo que llevas dentro todo el día realiza un comentario acerca de lo que tú haces, y desgraciadamente muchas veces este diálogo es negativo. Deja de actuar en automático, deja de hacer lo mismo diariamente. Sé consciente de los "mandatos" verbales más enérgicos que dejaron huellas en tu memoria. No son mensajes casuales, sino creencias y valores repetidos una y otra vez, expresiones como: "inténtalo", "no puedes", "¿qué haces?", "¿puedes repetirlo, por favor?", "no te entiendo", "no vas a poder", "es muy difícil", "no eres tan bueno", "complácelo", "haz sentir bien a los demás", "olvídate de tus necesidades", "todos deben aprobar lo que haces".

Así es, la clave está en nuestra memoria, en ella están las diversas órdenes: "No vivas", "no pienses", "no crezcas", "apúrate a crecer", "no seas sano", "no lo lograrás", "no seas importante", "no te superes". Y estos mensajes no verbales, se alojaron mediante los comportamientos que veíamos en las personas más cercanas durante la infancia, y también en su lenguaje corporal. Por ejemplo, podemos recordar una mirada de desaprobación de nuestra madre cuando tocábamos algo que estaba prohibido. La orden de no tocar era más que suficiente para quedarnos impávidos ante la presencia de los amigos. Estas actitudes no verbales o mandatos, nos enseñaron a pensar, sentir, actuar y hablar, y esta es la base de nuestra personalidad.

Imagina la siguiente situación, la persona nace en una familia en donde uno de los padres es profesor, o alguna otra profesión que exige mucha dedicación, como abogado o médico. Desde pequeño viste a tu padre resaltar el valor del trabajo, siendo testigo de las numerosas horas dedicadas a su labor. Incluso notaste cómo tu padre sacrificaba el tiempo libre para cumplir con sus obligaciones. Es factible que la influencia del padre sea inevitable, y que llegues a ser un profesor, abogado o médico y desarrolles una carrera profesional exitosa cuando seas adulto. En el buen sentido del caso, pregúntate, ¿es realmente el guión de vida que recibiste en tu niñez el que quieres vivir, o es el que has heredado? Lejos de querer complicar más la pregunta, profundizo, ¿podría ser que desde pequeño mostraste habilidades para la fotografía y la música, pero estas fueron desaprobadas levemente y, aun de adulto, te sorprendes a ti mismo en ocasiones tomando una fotografía en un atardecer, lo que te hace sentir complacido sin saber por qué, a pesar de que ese interés nunca fue aprobado por parte de tu padre?

Pues, entre todas esas partes desaprobadas, puede estar la verdadera esencia; ese "yo" que a veces lucha por salir. Ahora, ¿cómo sabemos en realidad que nos conocemos? ¿Por qué tanto énfasis? Usualmente solemos decirnos a nosotros mismos: ¿Quién puede poner en duda que no sabemos quiénes somos? ¿Acaso no nos levantamos todas las mañanas y nos vemos en el espejo? Viéndolo de esta manera, nos puede parecer realmente absurdo pensar: ¿Tanto alboroto por algo que es tan obvio?

Hablo de la programación mental, que tiene incidencia en nuestra vida, a veces más de la que nos imaginamos, al estar basada en el guión con el cual nos manejamos. Todos trabajamos con un guión que nos sirve de pauta, nos da el lenguaje que queremos utilizar y las acciones que vamos a realizar. No es fácil ser totalmente conscientes del guión que seguimos, pero buscar responder preguntas complicadas sobre nuestra existencia, marca la diferencia entre ir conformes "con lo que hay" o seguir realmente el camino de un corazón sano, ese que conduce de verdad a la realización personal y a la plenitud espiritual.

Puede que sigamos una programación eficaz para actuar en determinada forma: el éxito puede ocurrir porque alcanzamos ciertos objetivos, porque nos halagan o porque cumplimos con las expectativas de los demás. Pero no estamos seguros de que lo que hacemos es lo que realmente deseamos. Ni siquiera tiene que hacernos felices u orgullosos, porque podemos hacerlo forzando lo que realmente somos y sentimos. Así que no se puede identificar si es automatismo o si es lo que realmente somos.

También podemos confundir lo que somos con ciertos aspectos de nuestra vida. Imaginemos aquello en lo que somos competentes: «Yo soy un líder, cocino, apoyo a mis hijos en sus tareas, soy sociable, un buen profesional, bueno en las finanzas, un comerciante exitoso». No está mal poder identificarnos con nuestras habilidades y creer que somos todas estas cosas buenas. Pero también puede suceder que nos identifiquemos con nuestros defectos o con las experiencias dolorosas y humillantes que hemos vivido, y entonces carguemos a cuestas un guión de vergüenza. Pensamos que somos, por ejemplo, aquel que hirió con sus palabras a una persona bondadosa, o aquel que infringió un principio moral o un valor. Nos presentamos, por lo tanto, como un ser deplorable, porque eso sentimos que somos, o simplemente, repetimos un comportamiento equivocado pues es nuestra manera de revalidar lo que somos.

Aprovecha este momento para tomar la decisión de liberarte de la necesidad de control, de las etiquetas con las que te has identificado, de la necesidad de aprobación de los demás y de la necesidad de juzgarlos. Vive bien, acorde a lo que crees, a tus principios, pero vive bien. En esta idea se encierra lo que nos ata al "qué dirán", o a esperar que los demás cambien sus conductas. No caigas en el juego que te hace su propio ego. La opción es tuya, sé consciente y actúa en el momento presente. Busca rodearte de gente positiva que te apoye y resalte tus cosas buenas. Aumenta tu autoestima cambiando tu diálogo interno negativo. Para ello, utiliza, si es necesario, afirmaciones positivas. En el siguiente capítulo hablaremos sobre cómo mejorar tu autoestima. Pero continua leyendo, y encontrarás al final de este capítulo ejercicios que te ayudarán a cambiar un diálogo negativo.

Israel

La ciencia profundiza en el funcionamiento de la mente inconsciente exponencialmente, ofreciendo información cada vez más específica de nuestros comportamientos. ¿Tomamos nuestras propias decisiones? o ¿Lo hace nuestro cerebro sin consultarnos? ¿Es posible que algo que hayamos olvidado afecte las decisiones que tomamos a diario? ¿Somos totalmente libres o estamos condicionados por nuestra mente? Estas y otras son preguntas que se hace la mente científica. Aprovecha este preciso momento para introducir esta idea: *Lo que te dices determina la manera en la que percibes la realidad y cómo actúas frente a ella.*

Nuestro inconsciente se prepara para realizar una determinada acción antes de que la pensemos de manera consciente, por lo tanto, esto afecta nuestro libre albedrío. Llegamos a identificarnos totalmente con las "vocecitas internas", incluso no las cuestionamos, creemos que somos todo lo que nos decimos a través de esas voces. Las voces internas no son más que meros pensamientos que emergen de forma automática en nuestra mente. ¡Está claro! Tenemos un guión interno que nos va diciendo por dónde ir o qué hacer, lo que afecta nuestras decisiones diarias. Este guión determina la manera como interpretamos el mundo y nuestra manera básica de ser. Hemos ido elaborando un plan desde la infancia de forma inconsciente, fuimos influenciados por las figuras de referencia, especialmente los padres o las personas cercanas, y estamos "casi obligados" a representarlos en el transcurso de nuestra vida. De forma automática, nuestro guión orienta cada una de nuestras decisiones.

La historia del pueblo de Israel es un ejemplo bíblico fascinante para explicar el "guión de vida". Los Israelitas llegaron a Egipto con un propósito definido, como una familia libre y bendecida; pero el Faraón, que es un símbolo de Satanás en la Biblia, los llevó a la esclavitud cambiando su guión de vida. Ellos pasaron de ser libres, a la esclavitud. El libro de Éxodo describe todo el esfuerzo sobrenatural que

Dios hace para cambiar el guión de vida, y ampliar el intelecto del ser humano, en este caso, por la programación con la que habían nacido los Israelitas.

Dios liberó al pueblo de Israel con mano poderosa, persistentemente, pero a pesar de esto, el guión de sus vidas, adquirido durante más de 400 años de esclavitud, no les permitió avanzar ni entrar en la tierra prometida. ¿Por qué sucedió esto? Porque sus creencias limitantes no le permitieron a Dios reescribir el guión de sus vidas. El libre albedrío tiene la última palabra en el momento de tomar decisiones. En ocasiones, se requiere de un largo tiempo para cambiar, mientras no se haga conciencia de la forma de pensar. En el fondo, los israelitas tenían un profundo temor por lo que les podría suceder. Habían visualizado un futuro incierto, naturalmente pensando desde la parte catastrófica. Asumían que todo les saldría mal, en lugar de visualizar un futuro bondadoso. Les tomó cuarenta años para cambiar sus creencias y poder llegar a la tierra prometida.

Lo mismo que una creencia limitante tardó años en formarse en los israelitas, también tardó años en crearse la creencia nueva de la promesa de Dios. Tomó tiempo para desbloquearla y sustituirla por otra que les beneficiara. Necesitaron 40 años de asimilación, integración, y sobre todo de comprobación en la vida real. La nueva creencia requirió experiencia para hacerla más válida que la anterior. No obstante, de todo el grupo que salió de Egipto, solo entraron en la tierra prometida dos personajes: Josué y Caleb. ¿Qué tenían de especial estos personajes, que los hizo confiar en la promesa de una tierra nueva?

Veamos qué mostraron estos personajes durante su recorrido: Por un lado, ellos demostraron un funcionamiento mental excepcional. Esto los hizo capaces de escuchar la voz de Dios, en función de seguir instrucciones. Supieron sostener la atención en un objetivo, y mantuvieron una voz interna positiva que los guiaba hacia el desafío que se les había encomendado. Tal vez el guión de vida que tenían guardado en su mente, se iba reforzando por las diferentes experiencias y acontecimientos que vivían a medida que crecían, quizás habían comprendido bien las historias que escuchaban desde pequeños. Es probable que combinaron ese aprendizaje con la habilidad de concretar las tareas encomendadas, sin distraerse del objetivo. Esto los llevó a andar con confianza, cada paso que daban lo hacían con seguridad, esto marcó la diferencia con el resto.

Por otro lado, lo más sorprendente, algo así como un hecho sobrenatural, fue que ellos mostraron un nivel espiritual muy elevado; una fe única en Dios. Esto implicó creer en cosas que simplemente parecían improbables al resto del grupo, pero, a Josué y Caleb los llenó de valor, a pesar de la negatividad dominante del momento, y sobresalieron del resto de los israelitas, que a diferencia fueron guiados por pensamientos negativos que los alejaron del propósito de sus vidas. Las acciones automáticas, poco pensantes, guiaron al pueblo de Israel, llenándolos de incredulidad. También es probable que el guión de vida de las familias de Israel los hayan condicionado a vivir con una mentalidad de esclavos. La creencia limitante subyacente era: "Esfuérzate, pero no lo vas a conseguir", constantemente les hacía creer que todo cuanto hacían estaba mal, pues desde niños habían nacido en esclavitud.

Al parecer, los años de esclavitud en Egipto habían debilitado su capacidad mental para experimentar la verdadera libertad. Por esto, aunque se libraron de sus capataces egipcios, seguían dominados por fuerzas inconscientes muy profundas, tamizadas por varias capas y sepultadas en lo más profundo de sus mentes. Sin reconocer lo limitante e inaceptable de la experiencia negativa de sus antepasados, tal vez siguieron con un guión de vida inconsciente que los llevó a un final triste. El viaje hacia la tierra prometida, que podía haber tomado apenas unos días, se convirtió en un viaje de cuarenta años. Y para los que salieron de Egipto, nunca se hizo realidad, gracias al guión de fracaso que reinó en sus mentes.

Ahora, pensemos, ¿cuáles son nuestras creencias limitantes de nuestros antepasados? ¿Cuál es la programación, los mandatos, que hemos recibido en nuestra infancia? Todos arrastramos narrativas del pasado y, la mayor parte de ellas, las hemos adoptado como realidades incuestionables que terminan siendo profundamente limitantes. Esto hace que nos digamos a nosotros mismos: "Yo soy así, no puedo hacerlo de otra manera". Afortunadamente, todos podemos llegar a aprender de nuevo un guión de vida, los guiones no están cerrados, sino que pueden ser modificados. Y lo que es más importante, ese cambio de guión se realiza cuando el nuevo guionista decide ser uno mismo, reescribiendo el guión a su modo, a partir de un progresivo proceso de toma de conciencia de cuáles son los elementos que restringen, y a la vez, de cuáles son los deseos reales que la persona quiere para su vida. Podemos, derrumbar un gran muro en cualquier momento de nuestra existencia, pero cada quien toma la decisión de hacerle frente a las circunstancias que se presentan.

Pensemos, ¿Qué nos impide hacerlo? Has aceptado como algo normal sentirte inseguro, incapaz o incompetente, pero, ¿por qué permanecer en ese sentimiento si tienes los recursos para hacerle frente? ¿Por qué seguir escuchando las voces interiores, que te dicen desde la infancia lo que tienes o no tienes que hacer? Además, no solo son las voces o el diálogo interno que nos decimos, también interesa profundizar lo que no conocemos de nosotros mismos. A veces está en modo silencio, es decir, lo que subyace en lo más profundo de nuestro inconsciente.

Aprovecha este momento para identificar los impulsores que retumban en tu mente en las siguientes líneas: Nosotros, al igual que el pueblo de Israel nacemos siendo esclavos, con un guión que no es el original de Dios. Muchos no llegan a la "estatura de la plenitud de Cristo" (Efesios 4: 13) porque son dirigidos por el impulsor de "ser fuertes", "ser valientes", de que "los cobardes no llegan a ninguna parte", y de que "la tierra prometida es solo para los fuertes". También se dejan guiar por el impulsor de tratar de "ser perfectos", para no ser criticados por los demás.

Seguramente a algunos de los israelitas se les exigió en su infancia ser perfectos. Quizás creían que las cosas en la vida solo podían ser buenas o malas. Para ellos no había término medio. Durante su recorrido, planteaban exigencias excesivas de perfección, exactitud y detallismo, temían hacer algo mal, y se torturaban pensando que no lo estaban haciendo bien. En este grupo, la capacidad crítica, muy bien desarrollada, jugó en su contra, rehuyéndole a la relatividad, la espontaneidad y la improvisación. La tendencia presente en ese momento fue convertirse en legalistas, críticos de todo lo que no estaba acorde con sus normas.

En su caminar había altivez, no mostraban sus debilidades, no tenían humildad ni compasión por los demás. Muchos no sabían hacia dónde iban, solo recordaban que les habían dicho que debían "darse prisa" y sus impulsos inconscientes los dirigían. Pensaban: «Soy responsable de hacer que los demás estén bien. No soy lo suficientemente bueno. Debo complacer y hacer sentir bien a los demás. Olvídate de tus necesidades, todos deben aprobar lo que haces. No se te ocurra decir que no a algo, o frustrar a alguien». Y así se acusaban unos a otros. Este impulsor les provocaba ansiedad, se les veía impacientes, y sobresalían por ser inquietos en comparación con el resto.

Además, esto les impedía ser eficaces en la administración del tiempo, por ello llegaban tarde, y tardaron nada más y nada menos que cuarenta años en llegar. Dedicaban poco tiempo a lo que tenían que hacer. Estaban distraídos, encontraban motivos para perder tiempo y llegar tarde. Este comportamiento evitaba que tuvieran tiempo para sentir lo que realmente necesitaban. De hecho, por eso necesitaban estar siempre corriendo, para evitar sentir.

El grupo más grande seguía su camino errante por el desierto, lo cual les parecía "esforzarse innecesariamente", y fijó mal sus metas, eligiendo prácticas sin sentido. Se encontraban debilitados por el pensamiento de que "las cosas sin esfuerzo no valen". Confundieron más de una vez la necesidad de esforzarse con conseguir un buen resultado y, por lo tanto, intentaron llegar una y otra vez, sin conseguir el objetivo y cansándose en el recorrido". La falta de determinación en los israelitas los hacía empezar una actividad, abandonarla y empezar otra. Esta reprogramación "pasada" que decía: sé fuerte, sé perfecto y complaciente; no les permitía ver todas las señales que Dios les mostraba continuamente en su presente, a fin de avanzar en los desafíos planteados a lo largo del camino.

Cuando cumplimos una misión dejándonos llevar únicamente por los mandatos inconscientes, sin querer conocernos, nuestro equilibrio mental se altera, tal vez, con la sugestión de pensamientos negativos sobre nosotros mismos. La angustia insuperable que proporcionan los cambios inevitables de la vida diaria nos atrapan, así como el miedo y la desesperanza, trayendo como consecuencia el aumento de los niveles de ansiedad y depresión.

Antes de cualquier intento, los israelitas se dejaban dirigir por su "guión de vida", que les aseguraba que no iban a alcanzar la tierra prometida. Tal vez se reprochaban continuamente, diciéndose: no vales nada, eres torpe, eres un inútil, todo lo haces mal, deja que lo haga yo. Tenían miedo de conseguir las cosas por temor a los capataces. Los israelitas debieron sentir una sensación de soledad infranqueable, al no sentirse atendidos como les habría gustado.

Ahora, cuando nos sentimos acogidos, valorados, queridos y aceptados, nuestro cuerpo funciona mejor. En particular, en el caso de Josué y Caleb, su programación mental los impulsaba a pensar: «No tengan miedo a tener un concepto claro de sí mismos. Dios está con nosotros y por lo tanto será fácil tomar esta tierra». Lastimosamente, el pueblo no escuchó y solo ellos entrarían en la tierra de Canaán.

Luego de la lectura del capítulo, sería válido volver a hacernos las preguntas obvias de vez en cuando, para ver si conseguimos respuestas distintas. Nos preguntamos: ¿Me conozco? Nos miramos en el espejo y ciertamente, nos conocemos demasiado bien como para tener que intentar conocernos. Por tanto, las creencias limitantes condicionan por completo nuestra vida, pero rara vez somos conscientes de que las tenemos. Cuando visualizamos los aspectos buenos o malos en los demás, esto nos señala algo que nos pertenece. Te invito a continuar leyendo, para que puedas averiguarlo.

Propóntelo, y hazlo

Ejercicio 1.

Practica durante 21 días para crear el hábito saludable de cambiar tu diálogo interno negativo por uno saludable:

◆ Primero, sé sincero contigo mismo. Mírate al espejo y di lo que tengas que decir acerca de ti.

◆ Reconoce cualquier aspecto que desees cambiar, actúa, trata de mantenerte positivo haciendo cosas que te mantengan positivo, por ejemplo, escucha la música que te gusta y disfrútala.

◆ No te sientes a pensar en lo negativo, haz algo diferente, mira una película, sal a caminar, habla con alguien positivo, realiza una tarea pendiente, busca a tu alrededor algo que te guste.

◆ Acepta lo bueno que los demás dicen de ti. Simplemente di: «Gracias». Y no te justifiques ni des explicaciones. Si alguien te dice: «Me encanta tu corte de cabello». No digas, «¡Oh! me costó muy barato, tal vez me hubiera gustado más largo». Simplemente contesta: «Gracias».

Ejercicio 2:

◆ Pregúntate, ¿Cómo soy cuando me sacan de mi rutina, o cuando me enfrento a lo inédito o a lo desconocido? Es decir, cuando se te presenta una situación nueva para la que no sirve tu programación, ¿qué es lo que aparece en tus pensamientos?

◆ Escribe tres dimensiones de tu vida. Se trata de ser creativo e intentar identificar nuestras cualidades en el pasado, en el presente y en el futuro. Describe también tus sueños, aquello que deseas conseguir y cómo vas a hacerlo.

EL PASADO. Escribe la historia de tu pasado. Asegúrate de incluir los momentos en los que tuviste que superar alguna dificultad y las cualidades que utilizaste para conseguirlo.

EL PRESENTE. Describe tu vida actual, y explica quién eres en este momento. ¿Qué diferencias hay con el pasado? ¿Qué cualidades te definen? ¿Qué dificultades tienes que afrontar?

EL FUTURO. Describe tu futuro ideal. ¿Qué diferencias habrá con tu momento actual? ¿Qué sería diferente en ti?

Ejercicio 3.

◆ Sigue los pasos para cambiar alguna creencia limitante en tu vida:

1) Identifica una situación de dificultad en tu vida que deseas mejorar. Ejemplo: Me pongo nerviosa/o y me cambia la voz, el cuerpo, y los gestos, cada vez que me expongo a un grupo de personas delante de las que debo hablar.

2) Detecta la creencia que está detrás de esta actitud y deseas cambiar. Utiliza una o dos frases claras y concisas que resuman tu creencia. Ejemplo: Soy incapaz de hablar en público. Soy una persona tímida, insegura, no me gusta estar en el centro de atención.

3) Es importante resaltar que todas nuestras acciones conllevan un beneficio, aunque no seamos conscientes de ello. De ahí, pregúntate con sinceridad: ¿Es ciento por ciento cierta esta creencia? Es probable que te des cuenta de que no hay nada de lo que podemos estar seguros al ciento por ciento. ¿De qué te vale entonces seguir aferrado a esta creencia, si no te trae más que problemas?

4) Piensa en cómo se ha originado dicha creencia. ¿Has sido tú mismo, tu experiencia, otros? ¿Quién o qué te hizo crear esta creencia? Si no lo sabes, ni tienes ejemplos de tu vida para ilustrar esta creencia, seguramente se trate de una creencia irracional o inconsciente, sin ninguna fundamentación objetiva; razón de más para desecharla.

5) ¿Qué beneficio secundario o invisible te aporta esta creencia? Cada acción nuestra conllevan un beneficio, aunque no seamos conscientes de ello. Comer, por ejemplo, nos puede saciar para sentirnos acompañados. O pensar que somos tímidos nos aleja de la necesidad de exponernos a los demás, y nos mantiene en nuestra zona de confort.

6) ¿Cómo eres, cómo actúas, cómo es tu vida cuando crees en esta creencia? ¿Te acerca o te aleja de tu objetivo?

7) Escoge una creencia potenciadora, contraria a la creencia anterior. Crea una afirmación clara y concisa que te ayude a acercarte a tu objetivo.

8) Encuentra situaciones de tu vida que demuestren que esta nueva creencia tiene sentido. Piensa en qué otros ámbitos o momentos anteriores de tu vida tu actitud

correspondía con esta nueva creencia, aunque sea en una pequeña proporción.

9) Empieza a introducir esta nueva creencia en tu vida a través del lenguaje y pequeñas acciones. Cuando te hablas a ti mismo, y cuando hablas con los demás, emplea palabras relacionadas con la nueva creencia. Y actúa conforme a esta nueva creencia. No tienes que ser radical contigo, sino poco a poco, progresivamente actúa diferente. Empieza a tomar pequeñas acciones que respalden la nueva creencia para ir demostrándote a ti mismo que ésta es más real que la anterior.

Dios te habla hoy y siempre. Pensemos un instante en lo que hacemos y en la forma de pensar que nos limita, tal vez te puede llevar a mantenerte en incertidumbre, sin una visión definida que te impide tomar decisiones inteligentes y conscientes. Presta atención a los cambios internos como las emociones de seguridad, de desconfianza o de angustia, así reconoces las emociones que te desaniman o te motivan. Tener una vida emocional estable producto de reconocer nuestras emociones, nos permite entender las señales de Dios para alcanzar una visión más elevada. Nos ofrece además la libertad de tomar decisiones, para actuar positivamente en función de nuestro propio bienestar y el de los demás. Repasa la siguiente frase: "Cada persona diseña su propia vida, la libertad le da poder para llevar a cabo sus designios, y el poder da la libertad de interferir en los designios de los demás…" (Eric Berne).

5 ÁMATE A TI MISMO

5. No puedes amar a los demás a menos que primero
aprendas a amarte a ti mismo.
Descubre tus creencias limitantes

Puesto que conocerse a uno mismo requiere tener un concepto claro sobre lo que somos, puedo decir que interesa mantener una autoestima sana y sin mentiras. En realidad, la autoestima es una necesidad que debemos cubrir para alcanzar la mejor versión de nosotros mismos, y así, mejorar notablemente la capacidad de amar a los demás. En este capítulo, nos preguntamos: ¿Cómo creo que soy? y ¿Cómo me ven los demás? Tal vez, respondiendo a estas preguntas, podamos amarnos incondicionalmente, y confiar en nosotros mismos para lograr objetivos, independientemente de las limitaciones que podamos tener. Muchas veces las circunstancia de la vida y el entorno van adormeciendo la capacidad de mirarnos con dignidad, amor y realidad.

Aprovecha este momento para introducir en tu mente una nueva idea: *"tener una autoestima alta requiere valorarte como un ser único y consciente de asumir confianza en tus propias capacidades y virtudes"*.

Cuando en consulta le pido a un niño que mencione algunas de sus cualidades, lo que mejor sabe hacer, o lo que más le gusta, pocos responden acorde a una habilidad que los hace realmente felices. Esto ocurre no por el hecho de una limitación del lenguaje, sino más bien porque sus padres nunca se han tomado el tiempo suficiente para hacerle ver al niño todas las cosas maravillosas que tienen como un ser único e irrepetible. Suelen responder: "mis calzados son bonitos", "tengo muchos juguetes", "mi vestido es hermoso", pocos son los que dicen: "me gustan mis ojos" "me gusta cantar", "me gusta el chocolate", "soy feliz", "me visto solo", "soy amigable", "me gusta pasear a mi mascota". Lamentablemente responden superficialmente, con timidez, sin saber decir algo de lo que son capaces, lo que hacen con pasión, o aquellas tareas que desarrollan sus talentos.

Si bien es cierto que cuando somos niños no somos autónomos en nuestro pensamiento, sino que formamos nuestro concepto y valía en función de lo que nos dicen los demás (padres o cuidadores); y a esa edad todo lo que nos dicen es una verdad absoluta, porque son nuestro principal referente, ya de adultos nos toca con mucho esfuerzo poner toda la energía para el autocumplimiento, que es una necesidad de autorealización importante para el bienestar de cualquier persona.

La manera de aumentar la autoestima de un adulto, se produce con las acciones que hagamos para ello, es decir, estando conscientes de subsanar, apuntando con intención y con esfuerzo para conseguirlo. Por ello es preciso saber lo que hacemos mejor, las fortalezas o virtudes que poseemos, y lo que se nos dificulta o nos debilita.

¿Por qué es importante conocer nuestras fortalezas?

Diversas investigaciones han demostrado que usar las fortalezas personales puede ayudarnos a: manejar, solucionar, y superar problemas personales, así como mejorar nuestras relaciones, mejorar nuestra salud y el bienestar general.

Pregúntate ¿Cuáles son tus fortalezas personales? me refiero a todas aquellas capacidades que pueden adquirirse a través de tu voluntad, las cuales representan rasgos positivos de la personalidad. Es esa característica que te hace sobresalir del resto para bien. Christopher Peterson y Martin Seligman relacionan científicamente los rasgos psicológicos positivos de las personas, divididos en seis grandes grupos:

1. Sabiduría y Conocimiento:	2. Coraje:
Creatividad	Valentía
Curiosidad	Persistencia
Apertura mental	Integridad
Amor por aprender	Vitalidad
Perspectiva y sabiduría	
3. Humanidad:	**4. Justicia:**
Amor	Participación ciudadana o
Amabilidad	responsabilidad social,
Inteligencia social	lealtad y trabajo en equipo
	Justicia
	Liderazgo

5. Templanza:	6. Trascendencia:
✓ Perdón y piedad	✓ Excelencia
✓ Humildad y honestidad	✓ Gratitud
✓ Prudencia	✓ Esperanza
✓ Autocontrol	✓ Humor y jovialidad
	✓ Espiritualidad y sentido de propósito

¿Por qué es importante conocer nuestras debilidades?

Una debilidad podría llegar a ser una fortaleza con el tiempo y la dedicación adecuada. Por consiguiente, también es bueno tomar en cuenta nuestras debilidades, para hacer de ellas una ayuda y no una dificultad. Toda carencia, sea esta de conocimiento, capacitación, carácter o de cualquier índole, cuando uno menos lo espera, se hace presente causando mucho daño. Por eso es necesario que cada vez que se conozca la existencia de una de ellas, se proceda de inmediato a trasformarla y convertirla en un apalancamiento en puntos de apoyo. Esto se consigue mediante la dedicación, el estudio, la capacitación, el adiestramiento y toda forma de crecimiento personal.

Pregúntate ¿Cuáles son tus debilidades? estas se relacionan con los hábitos, pensamientos y conductas negativas que te impiden realizar labores con eficiencia, y alcanzar metas que deseas. Las debilidades pueden ser el pesimismo, la soberbia, la timidez, la pereza, la impulsividad, la indisciplina, la baja autoestima, la procrastinación, la impaciencia, la crítica, siendo quizás estas las más frecuentes.

Tener en cuenta nuestras debilidades es importante para realizar el cambio conveniente que queremos hacer en nuestro carácter. De esta manera estaremos mucho mejor preparados para resolver los problemas, dar soluciones satisfactorias, o salir de los momentos de crisis con un resultado positivo. Utilizar nuestras fortalezas y talentos es lo mejor y lo más recomendado, pero como siempre, las debilidades aparecerán y nos causarán trabas. Entonces, la mejor manera de salir triunfantes, es hacer que ellas sean cada vez menos en cantidad, y eso lo conseguiremos al incorporar este mecanismo de desarrollo racional a las actividades y hábitos cotidianos, asegurándonos un mejor desenvolvimiento personal.

Ahora bien, la autoestima varía según el entorno y las circunstancias que nos rodean. Lo que pensamos y sentimos sobre nosotros mismos cambia constantemente, y esto determina la manera de percibir nuestra vida. Por ejemplo, las fortalezas y debilidades personales varían en función de con quién o con quiénes nos comparemos. En un entorno que supera las capacidades propias, se tenderá a ver más las debilidades. Puede suceder que tuvimos un jefe que nos bombardeaba con exigencias que nunca superaban la media de sus expectativas, lo que hacía que no viera nuestra creatividad. Esto afectaba negativamente nuestra valía personal en aquel momento.

Hagamos el siguiente ejercicio: Si te pidieran asignar una puntuación del 1 al 10 luego de una fracaso amoroso o laboral ¿Cuánto crees que te pondrías? Es probable que más bajo de lo normal, tal vez una puntuación de 4 o 5, el número que te asignes dependerá de cómo te sientes en el momento. La puntuación que se coloca una persona se ve influenciada por la manera en que creemos que nos calificarían los demás, la forma en que creemos que nos ven y lo que creemos que dicen de nosotros o cómo nos tratan. La autoestima depende del estado emocional, este varía de acuerdo a los sentimientos que se experimentan en cada momento. Una persona con baja autoestima, tiende, ante situaciones difíciles, a interpretar los acontecimientos con pensamientos catastróficos sobre la vida o las relaciones, a veces, autoflagelándose, generando sentimientos negativos hacia sí mismo, provocando inseguridad y desánimo, todo ello en un grado superior a una persona con autoestima alta.

Es cierto que las personas con alta autoestima pronto pasan la página para continuar enfrentando las situaciones difíciles. Manejar las emociones es la mayor fortaleza para superar un problema. Pero, por ejemplo: una persona con una elevada autoestima puede ver disminuido su autoconcepto luego de un evento traumático, un accidente, o la pérdida de un ser amado. Basados en esto, medita en la siguiente pregunta: ¿Tienes un amor propio objetivo, racional, y apropiado? No. La autoestima es emotiva y muy poco racional. Por esta razón, la mayoría de las personas se dejan llevar por la condición emocional del valor que se han atribuido o les han atribuido los demás, más que por una condición racional y de manera consciente.

Aprovecha este momento para introducir una idea nueva: *La buena noticia es que, aunque aprendemos a vernos a través de los ojos de los otros, cuando nos hacemos adultos podemos elegir vernos con nuestros propios ojos, y si no nos hemos sentido valorados, podemos aprender a valorarnos a nosotros mismos.*

Por ello, nunca es tarde para aprender a aceptarnos y a valorarnos incondicionalmente. Decídete a actuar conociendo tus habilidades y aceptando tus debilidades. Esto de conocer tus fortalezas, te ayudará a superar los problemas que se presentarán en tu vida con más confianza. Si quieres alcanzar una meta, también es importante identificar tus fortalezas y potenciarlas. Éstas son las llaves para lograr el éxito, potenciar las fortalezas, y disminuir las debilidades trabajando en ellas. Cuando hacemos cosas para las que somos realmente buenos, nuestra visión de la vida es más clara. Por eso, si estás dispuesto a analizar los puntos donde ya eres fuerte, y donde puedes mejorar de alguna manera, significa que ya eres una persona con cierta madurez emocional. Porque se necesita valor para realizar esta tarea. En cualquier caso, es necesario ser conscientes de cuáles son las fortalezas y debilidades personales, pues es el único camino que tenemos para reforzar las primeras y minimizar las segundas.

¿Cómo saber que estás practicando una fortaleza? Busca señales de emoción cuando realices una actividad en la que realmente eres bueno, tu emoción es visible. Tus pupilas se dilatan, tu pecho se ensancha, tu hablar es rápido y fluido y tus brazos se abren más. Estos son indicadores claros de motivación. Te sientes vivo y emocionado cuando estás usando alguna de tus grandes fortalezas. Pregúntale a alguien cercano a ti cuándo te ha visto más emocionado, u obsérvate a ti mismo a lo largo del día: ¿Cuándo estás más concentrado en lo que haces? ¿Cuándo tienes más energía? Cuando las personas usan sus fortalezas, dejan de pasar inadvertidos.

Recuerda ¿Cómo podemos mejorar si no sabemos qué mejorar? Conocer cuáles son nuestras fortalezas y debilidades personales es el primer paso para desarrollarnos en cualquier ámbito. ¿Sabes cuáles son las tuyas?

Tomar decisiones

Cada persona tiene derecho a tomar sus propias decisiones. La responsabilidad personal está ligada a la toma de decisiones, cada quien elabora su propio plan de vida siguiendo sus intereses, necesidades y metas. Tener responsabilidad de uno mismo conlleva a hacerse cargo, no solo de los comportamientos que llevamos a cabo, sino también de aquello que pensamos y sentimos. En definitiva, cuando una persona considera que su felicidad depende de los demás, probablemente la raíz del problema está en no saber decidir en función de su bienestar. Podemos estar inmiscuidos en circunstancias difíciles que nos arropan, sin lograr vislumbrar un futuro prometedor, pero cada persona tiene siempre la decisión en sus manos, puede hacerlo si busca la opción que lo lleve a su felicidad.

La mejor decisión que podemos tomar es aquella que esté basada en hechos, no en interpretaciones, y aquella que esté de acuerdo con nuestros valores personales. En este sentido, saber decidir implica dar valor a lo que se es y lo que se quiere para la propia felicidad. La baja autoestima suele venir asociada a pensamientos del tipo: No seré capaz, no lo conseguiré, o no me lo merezco. Todos ellos son pensamientos paralizantes que bloquean tu toma de decisiones.

La baja autoestima también lleva a valorar más la opinión de otras personas frente a la propia opinión. La persona insegura tiene una necesidad de preguntar sin llegar a conseguir sosiego, pregunta de manera compulsiva, lo que le trae mas confusión. Aquí el problema surge cuando la opinión de esas personas difiere entre sí, este error agranda la brecha de inseguridad, por lo que saber lo que tiene que hacer se vuelve aun más complicado. Mientras más información solicita una persona en el momento de tomar cualquier decisión, mas difícil será renunciar a todas las alternativas que se presentan, quedando insatisfechas las necesidades de bienestar, y dejando un profundo vacío emocional.

En cambio, una buena dosis de autoestima genera confianza en tus propias opiniones, establece una prioridad que enfatiza más tu propio punto de vista, y quita valor a la presión social frente a decisiones diferentes a la tuya.

En el momento de tomar decisiones, sigue estas consideraciones. Esto te ayudará a disminuir el estrés, y a su vez aumentará tu confianza en ti mismo.

Plantéate varias preguntas sobre tu decisión, desde la más amplia hasta la más concreta.	Por ejemplo: te estás planteando cambiar de trabajo. Podrías preguntarte si en este momento es necesario el cambio, si te queda cerca de tu casa, si te pagan más, si vas a poder desarrollarte allí. Pero concéntrate en las preguntas que van a traer beneficios a tu vida.
Busca información de expertos.	Si es necesario, acepta opiniones de expertos u otras personas, pero sin que estas influyan sobre tu decisión final. Solo tómalas como referencia. Quizás la otra persona haya pasado por lo mismo, y puede abrirte un poco más la mente.
Anota lo que sea necesario, y las respuestas a preguntas.	Trabaja con las preguntas que te has formulado. Escribe tus preguntas más relevantes. Pensarlo y plasmarlo en un papel te va ayudar. Escribe todas las alternativas que tienes, todas las que vengan a tu mente. Luego anota el por qué de esa decisión. Entonces ordénalas de mayor a menor, desde la decisión que más te convence a la que menos lo hace. Así tendrás varias alternativas y será más fácil tomar una decisión. Esto te ayudará a mejorar tu ánimo, además de mejorar tu autoestima, y por supuesto darte tranquilidad.

| Para tomar la mejor decisión, tomate tu tiempo y usa los puntos antes mencionados. | Cuando hayas tomado la decisión, céntrate en la opción que elegiste y no pierdas tiempo pensando en las otras alternativas. La decisión está tomada, no mires hacia atrás. |

Reconocer las emociones

La baja autoestima se manifiesta en la falta de habilidad para identificar y reconocer en nosotros mismos las emociones y los propios sentimientos. En cuanto a las emociones, hay que tener en cuenta que nada es blanco o negro, existen muchos matices y puntos intermedios. Lo cierto es que la autoestima y las emociones, a pesar de no ser lo mismo, tienen una influencia directa y una relación en tu bienestar integral. La inseguridad, la falta de confianza, el miedo a tomar riesgos, suelen relacionarse con un estilo de personalidad que se ha forjado en ambientes tendentes a negar las emociones. Por ejemplo, en niños a los que se les ha insistido en la idea de "los hombres no lloran", "no te rías tan fuerte", o "no tienes por qué sentirte mal porque tu amigo se marche a otra ciudad".

Saber lo que sentimos en cada momento significa reconocer las emociones. La autoestima alta está claramente conectada con emociones agradables. Aquella persona que se quiere a sí misma siente paz interior, está satisfecha con su presente, siente alegría, y agradecimiento hacia todo lo que le rodea. Por el contrario, una persona con un nivel de autoestima bajo, tiene emociones desagradables como la ira, la frustración, la rabia, el enfado, la lástima, y la tristeza. Nadie nos obliga a experimentar lo que estamos sintiendo, además, tenemos derecho a expresar mediante el cuerpo sentimientos y emociones, expresar necesidades y deseos, reconocer los gustos y preferencias. Entonces solo así podremos conocer y respetar las cualidades de los demás, luego de conocer quiénes que somos.

Las emociones cumplen una función adaptativa. Nos ayudan a salir de una situación que nos puede causar daño, y a buscar situaciones que generan bienestar. En la medida en la que no atendemos a las emociones, dificultamos el proceso de toma de decisiones. Las emociones en ocasiones sirven de impulso para salir del estado de bloqueo en la toma de decisiones. Las emociones también se crean a través del pensamiento. Es decir, de una forma consciente puedes empezar a potenciar tu mundo interior al máximo a través de la creatividad, las palabras bonitas, y las visualizaciones cargadas de belleza. Todo esto tiene un efecto directo sobre ti mismo, y sobre tu nivel de bienestar. Conforme las emociones agradables sustituyen de una forma habitual a las desagradables, la sensación de bienestar también aumenta. Y con ese bienestar, la autoestima también se fortalece.

Metas personales

El ponernos metas personales también fortalece nuestra autoestima, y nos ayuda a sentirnos satisfechos con nosotros mismos. Este proceso que lleva al cambio es intencional, es decir, que para trabajar las debilidades debemos estar conscientes del por qué y para qué lo estamos haciendo. Al enfocarnos en aumentar la autoestima, tomamos ventaja de dos grandes beneficios, el primero de ellos: ponernos metas personales para aumentar la autoestima nos hará sentir más felices y productivos. Y el segundo: nos sentiremos orgullosos acerca de nosotros mismos cuando logremos esas metas, inclusive cuando logremos pequeñas cosas que nos acerquen a la meta propuesta.

Cuando a una persona que tiene la autoestima baja le ocurre algo en su vida; me refiero a cuando logra una meta cualquiera, siempre en vez de sentirse satisfecha por lograrla, sucumbe a una sensación de vacío y desasosiego. Pareciera que el esfuerzo que puso en alcanzar su cometido cae en un saco roto. Desafortunadamente, la persona es incapaz de visualizar su futuro, pues no sabe dónde está, ni se conoce, y tampoco es capaz de mirar al futuro porque carece de objetivos vitales. El hecho de no saber hacia dónde dirigir sus esfuerzos para hacer que su vida tenga sentido, puede convertir cualquier logro en algo sin sentido ni valor. Y en lugar de causar satisfacción, produce un vacío emocional.

A diferencia de la persona con autoestima elevada, cada paso que da la acerca a su propósito de vida, se empeña en dar lo mejor de sí misma en función de lo que quiere lograr. Tener una autoestima elevada es algo que se aprende en la vida. La mayoría de las personas positivas, han pasado por situaciones traumáticas, pero han decidido hacer el cambio de mentalidad para conseguir su bienestar. No existe la persona que siempre mantenga su autoestima elevada debido a la educación que ha recibido y a la influencia de la cultura en la que ha vivido. Nuestra autoestima requiere que se la trabaje con conciencia e intención. Por eso es un proceso, y no una meta rígida y fija. Lo importante es que se mantenga dentro de ciertos límites, y que cuando baje, seamos capaces de trabajar en ella para reforzarla y volver a elevarla.

Pregúntate, ¿Lo que hago en mi vida me hace feliz, o lo hago por los demás? Además de hacer cosas que tengan sentido para ti, es importante reconocer si aquellas cosas con las que te comprometes te hacen feliz o son obligaciones que te impones para hacer felices a los demás.

A veces la baja autoestima se manifiesta en un vacío emocional, se convierte en una sensación muy dolorosa y un gran sentimiento de soledad. La persona siente que hay algo que necesita para sentirse completo, pero que quizás no sepa qué es, y ese algo es una necesidad de cariño y aprobación. Por ejemplo, tienes un nuevo puesto de trabajo, el que más anhelabas, e incluso alcanzaste un nuevo título académico, pero nada es suficiente, porque poco tiempo después, te vuelves a sentir de la misma manera, con un vacío existencial que permanece en tu interior. A menudo piensas: *Hay algo malo dentro de mí, un no sé qué. Independientemente de lograr lo que me propongo, igual nada me llena.*

Reconocer que puede ser difícil la felicidad mientras no se tenga presente lo que realmente importa, es un paso para llenar los vacíos que deja la falta de dirección en la vida. Pregúntate sobre la propia insatisfacción: ¿Estoy haciendo algo que tiene significado para mí? ¿Estoy haciendo algo que me hace sentir que valgo para el mundo? ¿Estoy esperando más de los otros que de mí mismo? ¿Atribuyo mi infelicidad e insatisfacción a la falta de aprobación de los demás? Estas son algunas de las preguntas que nos planteamos para aumentar la autoestima, y una vida con sentido que se traduce en felicidad.

En este cuadro podrás revisar algunos ejemplos de metas personales y un método para conseguirlas.

Ejemplos de metas personales	Cómo escribir tus metas	Cómo lograr tus metas
Rodéate de personas positivas	Me rodeo de personas positivas	Ponte metas diarias y mensuales.
Haz trabajo voluntario	Ayudo a personas desvalidas una vez al mes.	Las metas deben ser específicas.
Comienza un programa de ejercicio físico	Hago ejercicio físico 30 minutos, 3 veces por semana.	Las metas deben ser alcanzables.
Acepta tu cuerpo	Soy feliz con mi cuerpo y lo acepto como es ahora.	No te pongas metas para agradar a los demás.

Ejemplos de metas personales	Cómo escribir tus metas	Cómo lograr tus metas
Medita sobre tu vida	Medito para buscar que las experiencias en mi vida me ayuden a crecerme como persona, y para acercarme a la mejor versión de mí mismo cada día.	Medita.

En concreto si tu meta es: Yo hago ejercicio físico 30 minutos por día, 3 veces por semana, responde las siguientes preguntas:

1. ¿Por qué quiero lograr esta meta y cómo me beneficia?
2. ¿Qué acciones debo tomar para lograr mi meta?
3. ¿Dónde puedo conseguir ayuda si la necesito?
4. Yo comenzaré mi plan el ...(escribe el día).

Algunas cosas que afectan negativamente tu autoestima

◆ El perfeccionismo

Imaginemos que eres alguien que se desanima fácilmente cuando reconoce sus errores. Tomemos en cuenta que aun las personas de buen corazón y con cierta tendencia al perfeccionismo nunca están satisfechas del todo. Pueden vivir disgustadas consigo mismas porque no saben ser tolerantes respecto a sus propios errores. La baja autoestima ensombrece sus éxitos, y no logran confrontar la opinión negativa que tienen de sí mismos. El perfeccionismo puede convertir casi todo lo que hacemos en una obligación, y dejar poco espacio para el disfrute.

Hay personas con baja autoestima que se atacan de forma personal cuando la solución tomada no les ha dado buenos resultados. Esto hace que se autodesprecien por no haber sabido elegir mejor. Les lleva a temer equivocarse nuevamente, y dejan de actuar o seguir adelante por no sufrir ese autocastigo. Por ejemplo: luego de la ruptura de una pareja, se sienten fracasados, y dejan de disfrutar socialmente. Las cosas no tienen que salir ciento por cierto como las planeamos, las personas que se hipercritican a sí mismas suelen exagerar sus defectos e ignorar sus virtudes. Desde esta perspectiva, no son conscientes de todo el potencial que tienen como seres humanos únicos e irrepetibles.

◆ Ver los defectos en los demás: proyección personal

Por medio de la autoestima, tomas conciencia de la relación más importante, que es la que mantienes contigo mismo, ya que esta relación es el pilar de tu vínculo con los demás. Por este motivo, resaltar las debilidades en las otras personas más que las propias, es un buen indicador de una baja dosis de amor propio. Cuando nos relacionamos con los demás, la mayoría de las veces nos encontramos hablando de nosotros mismos, aunque pensemos que estamos opinando de nuestro amigo o de un familiar.

Depositamos en los otros lo que no estamos preparados para asumir de la propia realidad personal. En otras palabras, nos proyectamos, y atribuimos la responsabilidad de cómo nos sentimos en los demás. Algo así como cuando nos dejamos llevar por resentimientos, ira o enojo; estamos diciéndonos: Tú eres el responsable de cómo me siento. Por eso, la lectura de los demás puede ser un fiel reflejo de lo que nos sucede. El exterior nos habla y nos sirve de espejo, si estamos dispuestos a ver qué partes o asuntos pendientes tenemos sin resolver en nosotros mismos. Pero es un hecho automático, que ocurre sin darnos cuenta. Por eso, si no nos sentimos cómodos con nosotros mismos, no podemos sentirnos bien en relación con los demás.

Aprovecha a introducir otra idea en tu mente: *Nadie es tan malo como parece, cuando lo miramos más de cerca.* Te invito a que cuando estés opinando o criticando a alguien, intentes ser un poquito más consciente sobre lo que estás diciendo. La mayoría de las veces, eso que estás expresando tú también lo contienes, lo has contenido o te has sentido identificado.

La historia de Pedro

Ilustremos cómo proyectamos en los demás nuestra propia autoestima, a través de un personaje al que llamaremos Pedro. Pensemos por un momento que Pedro llama nuestra atención, y supongamos que tú piensas que él tiene baja autoestima. ¿Cuáles son las señales que indican que esa persona tiene problemas de baja estima? Tal vez su forma de dirigirse a los demás que causa desconcierto por su timidez, o su pasividad. Él además evita tomar la iniciativa, se distancia y aísla, y casi no tiene amigos pues no le gusta compartir con otros sus sentimientos.

Quizás al encontrarnos con esa persona, hemos pensado: Esta persona no se quiere ni valora a sí misma o: Me molesta su forma de ser tan desconcertante, y me enfada ver lo que hace.

Piensa por un momento ¿Por qué me llamó la atención tal rasgo de personalidad en Pedro? Este sencillo ejercicio ayuda a cambiar la perspectiva que tenemos sobre los demás y las etiquetas que utilizamos, ya que dice más de lo que somos que de la otra persona. Tenemos la responsabilidad de entender cómo nos sentimos, pero... ¿Qué hacer ante todo esto?

Primero, acepta que existe la posibilidad de que proyectas en los demás aquellos aspectos que te cuestan más trabajo aceptar en ti. No es una tarea fácil, por ello, tendemos a resistirnos a asumir la responsabilidad de nuestras reacciones. Es necesario por tanto tomar conciencia de ello, y ante ciertas situaciones saber decir: Tú no me enfadas, me enfado yo ante lo que has hecho o ha sucedido. Yo soy quien siente ira, tristeza o rabia ante las distintas circunstancias que se presentan en la vida y no las rechazo o las evito, sino que voy a quedarme meditando en ellas, aceptándolas, para después ver qué puedo hacer con ellas. Pero ante todo, yo soy responsable de mí mismo.

Mirar dentro de uno mismo es muy necesario para hacer pequeños ajustes o grandes cambios. Pero, mirar demasiado puede volvernos personas ciegas. Si nos fijamos demasiado en nuestro interior, puede sucedernos que al mirar no encontremos nada. Por ello, proyectar en los demás lo que no podemos ver dentro de nosotros mismos es más fácil. Esta discapacidad emocional nos impide conocernos y aprender más de nosotros. ¡Presta atención! te sorprenderán las similitudes que hay entre nuestra forma de ser y la de los demás. "Quien mira hacia afuera, sueña, quien mira hacia adentro despierta" (Carl Gustav Jung).

El caso de Pedro nos permite visualizar algunos elementos de alguien que necesita trabajar en su autoestima. Desechemos la idea de que Pedro está enfermo mentalmente, pues su conducta sobresaliente es la baja autoestima, y esto no es un indicador de alguna alteración mental.

Virginia Satir dice: "Cuanto más nos valoramos menos exigimos a los demás. Cuanto menos le exigimos a los demás, mayor es la confianza que uno puede sentir. Cuanta más confianza tiene uno en sí mismo y en los demás, más se puede querer. Cuanto más se quiere, menos se teme. Cuanto más nos erigimos ante los demás, menos oportunidad de conocerlos. Cuanto más se conoce a los demás, más estrechos son los lazos que nos unen a ellos".

Llegaríamos a la conclusión, de que lo que más sobresale de Pedro es su timidez, que sonríe poco, la falta de confianza, el temor en las relaciones, que procura no involucrarse en las actividades con los demás, y responde a una forma propia de ser sin atractivos ni pasión. Se maneja de esta manera en cualquier espacio, con su familia, con su pareja, e incluso en su trabajo. Cada quien maneja su mundo según lo aprendido y tiene un mapa propio que reside en su inconsciente y es distinto al de las demás personas.

Ahora bien, ¿Cómo cree Pedro que es? Pedro suele mantener diálogos internos negativos sobre sí mismo; pensamientos de incapacidad en todo lo que hace, sintiéndose inseguro, los demás representan una amenaza para él, por eso puede ser hostil. Probablemente siente dudas frecuentes de no merecer el amor de los amigos, de su pareja, o de las personas en general. Cuando le toca expresarse ante el grupo, se considera poco valioso en lo que dice, no se siente escuchado… y evita ser espontáneo, negándose a mostrar su verdadera forma de ser, tal vez por miedo a sentirse rechazado. Muchas veces no cree ser una buena persona, esto cuando solo recuerda sus debilidades, y pocas veces siente agradecimiento y contemplaciones de parte suya hacia la vida. La mayor parte del tiempo sufre, se desanima, entra en conflicto por el qué dirán. La manera en que interpreta el mundo no le permite despegar y ser feliz, porque percibe a los demás como amenazantes. Seguramente ha intentado cambiar muchas veces, pero no sabe por qué no lo logra. Probablemente se pregunta: Cuando el sufrimiento es real, y se vive en carne propia, ¿Cómo se consigue estar satisfecho?

Además, Pedro tiene problemas con todo lo que hace, y se siente preocupado por lo que no hace. Esta actitud defensiva es su mejor aliada. Le impide recibir ayuda, e incluso en ocasiones, rechaza favores que le ofrecen, y luego se arrepiente de ello. Sufre por la manera en que maneja las situaciones diarias. Esta forma de actuar le hace dudar de que merezca la felicidad. Pero una manera de subsanar su baja autoestima fue reconocer que las voces en su cabeza retumban de forma involuntaria. Prestó atención, y comenzó a analizar lo que se decía a si mismo, y se dio cuenta si sus pensamientos eran negativos o no.

Por ejemplo, en una entrevista de trabajo, mientras esperaba que lo atendieran, mantuvo un diálogo mental negativo que mostró inseguridad y desconfianza en sí mismo: «¡Oh! espero que el entrevistador sea una buena persona, que no se vaya a comportar prepotente, y que no me vaya a hacer muchas preguntas. Seguramente no me darán el trabajo porque no soy muy capaz para el puesto, tal vez no debí venir. Mejor hubiera ido por el otro puesto, aunque me paguen menos. Esta empresa se ve muy seria, creo que me aburrirá trabajar aquí. Las personas tienen cara de amargados, tal vez el que va a ser mi jefe es un temperamental. Me pone nervioso esta entrevista, no sé por qué. Se ve que aquí son muy estrictos, no sé si pueda cumplir con mis obligaciones».

La esencia del bienestar está en lo que nos decimos a nosotros mismos. Cuando tienes una diálogo interno positivo contigo mismo, es probable que lo tengas hacia los demás. Seguir manteniendo un diálogo interno que cuestiona todo lo que haces, solo logrará mantenerte angustiado, y a veces vivir con miedo.

Veamos un diálogo positivo que demuestra seguridad y confianza: «Quiero que me entrevisten, quiero saber qué tantas cosas me va a preguntar el entrevistador. Soy hábil en las relaciones interpersonales, me sé controlar si me llego a sentir evaluado, puedo responder acorde a lo esperado por él, y quedará conforme con mi presencia, si es así me querrá contratar. Me he dado cuenta que las personas entrevistadoras no siempre hacen las preguntas correctas, a ver este qué tan bueno es. Si me contratan, habrán encontrado al mejor para el puesto, es muy difícil que haya alguien tan honrado como yo, y con ganas de dar lo mejor de mí. La verdad, soy muy responsable. Esta empresa se ve muy seria, han de pagar bien. Varias personas de aquí tienen cara de regañones, tal vez estén de mal humor, ojalá no me toque un jefe regañón, porque se frustrará, no logrará hacerme sentir mal».

Creencias limitantes

Tendrás que analizar a fondo todo lo que crees hasta encontrar el pensamiento infundado. Aunque para ti puede parecer completamente cierto, solo es una mentira que te has creado en tu cabeza. Los pensamientos limitantes disminuyen la capacidad de apreciarte tal como eres. Por consiguiente, estas ideas falsas disminuyen la autoestima. ¿Cuáles son las ideas que rigen tu vida? ¿Cómo afecta cada una de estas ideas tus relaciones? ¿Te limitan o te impulsan?

Toma tiempo para pensar en tus creencias, hacerlas conscientes, puede llevarte a un proceso que aumentará tu autoestima. Una sugerencia es estar atento a algo que se te hace imposible de superar, por ejemplo, sigamos con Pedro, el personaje inicial, el descubrió que una idea limitante era la que le impedía caminar todos los días. A pesar de la recomendación del médico, no lo había podido comenzar. Por eso se dio cuenta que había estado estancado debido a su pensamiento, a la valoración que hacía de su realidad, pero no a que él era interiormente incapaz.

Aprovecha este momento para introducir esta idea en tu mente: *Por naturaleza no somos incapaces, son nuestras creencias y nuestra forma de pensar la que nos limita por la programación que hemos aprendido.*

Una tarea que ayudó a Pedro, fue analizar su pensamiento sobre el hecho de caminar todos los días. Había experimentado la limitación de su pensamiento: «Salvo que surja algún inconveniente, todos los días al ponerse el sol me voy a caminar un par de horas por el campo. Vivo en una zona rural, pues bien, hay un punto del camino en que comienza una pequeña pendiente de unos 100 metros, cuando estoy cerca de esa pendiente comienzo a pensar que me va a costar subirla, y que cuando llegue arriba estaré bastante cansado, y así resultaba cada vez».

Un día, antes de llegar a la pendiente, recibió una llamada telefónica, era de un amigo y lo atendió mientras seguía caminando. Cuando terminó de hablar con su amigo, se dio cuenta que mientras hablaba, había subido la pendiente e incluso estaba unos 30 metros más adelante. En ese momento notó algo muy extraño, no estaba necesariamente cansado, más bien estaba casi normal, respiraba con tranquilidad y no se había dado cuenta de que había subido la pendiente, y además hablando por teléfono.

Se quedo unos instantes reflexionando sobre lo ocurrido... y llegó a la conclusión de que nuestra fuerza y nuestra capacidad son enormes, y sólo nuestros pensamientos nos limitan a la hora de emplearla. ¿Te ha ocurrido algo parecido? ¿Qué conclusión sacas tú? Cuando Pedro llega ahora a la pendiente lo hace con más decisión, seguridad, y motivación.

Propóntelo, y hazlo

Ejercicio 1

1. Indaga en tu mundo interior: ¿Quién eres? ¿Qué aspectos físicos posees? ¿Qué características de personalidad, hábitos, ideas, preferencias recreativas e ideologías políticas posees? ¿Cómo eres físicamente? ¿Tienes alguna deficiencia o exceso? Como ser humano único e irrepetible, señala cuatro aspectos sobre ti mismo. Ten en cuenta que esos cuatro aspectos definen el concepto que tienes de ti.

2. Repite el ejercicio de atribución emocional para medir tu autoestima en diferentes momentos. En un día excelente, cuando hayas alcanzado un logro importante como un ascenso, o hayas conquistado una meta ¿Qué puntuación te asignarías de 0 al 10? Observa si en ese momento, puedes ver en los demás atributos y cualidades de una persona buena. Ahora repite el mismo ejercicio en un día malo, cuando estés atravesando una mala racha, una situación difícil, tengas un imprevisto o te ataque la

incertidumbre. En ese momento, seguramente te asignarás una puntuación más bien baja.

Ejercicio 2

1. Identifica tus fortalezas y debilidades. Hacer una lista de 10 de tus fortalezas y 10 de tus debilidades es una buena manera de comenzar a desarrollar tu autoestima. Divide una hoja de papel en dos columnas, y después escribe 10 de tus fortalezas en un lado y 10 de tus debilidades en el otro.

◈ A muchas personas les parece fácil identificar sus debilidades, pero identificar sus fortalezas puede ser más complicado. Para hacerlo, piensa en los momentos que los demás te han elogiado. Pueden ser cosas pequeñas, como los momentos en los que las personas han mencionado: ¡Sabes escuchar tan bien! o ¡Eres excelente dibujando!. Aunque creas que no vale la pena escribirlo en una lista, agrégalo a tu lista de fortalezas.

◈ No te compares con los demás. Por el contrario, recuerda que todas las personas son buenas en algo, concéntrate en lo que tú eres bueno.

Es básico que aprendas a verte de forma más positiva, para ello será imprescindible que pienses bien de ti mismo. Cuando modificas la manera de pensar sobre ti mismo, estás desafiando tu mentalidad. Por ello, vive el ahora con intensidad, sin aferrarte al pasado. Esto te puede dar felicidad permanente y ayudarte a olvidar de las dificultades pasadas. No hagas caso a tu mente cuando pienses algo malo sobre ti, inmediatamente cambia ese pensamiento por otro bueno. Piensa algo contrario a eso malo que acabas de pensar sobre ti, para así aumentar tu autoestima. Busca alguna frase que te haga sentir mejor. La tendencia a pensar siempre lo peor de los otros está bastante generalizada, y denota una tremenda inseguridad y una mala percepción de uno mismo. Cuanto más reforzada tengas tu propia imagen, albergarás menos pensamientos negativos sobre ti mismo, y y sobre los demás.

6 CAMBIA TU MENTALIDAD

6. A medida que transformamos nuestra mente, comenzamos a amar y ser amados.

Descubre cómo renovar tu mente

Ahora que has podido leer hasta aquí, y quieres dar lo mejor de ti mismo, entonces piensa en cómo podrías desarrollar una actitud positiva hacia ti y los demás. Cambiar de actitud te lleva a asumir con seriedad el viaje hacia el autoconocimiento. Toda persona que posee una autoestima elevada, construye cimientos sobre la base de tres componentes del autoconocimiento, los cuales confluyen entre sí: cómo pienso, cómo me siento, y cómo actúo. En la medida que seamos conscientes de esos tres aspectos y de la importancia de hablar, sentir, y actuar de forma proporcionada, estaremos caminando hacia una autoestima elevada, pues la autoestima es la manera como nos percibimos a nosotros mismos. Se trata de la parte emocional de nuestra mente que valora lo más íntimo de nuestro ser.

Propónte mantener en tu mente pensamientos positivos cuando caigas en la trampa de compararte con las habilidades de los demás. Frases tales como: "Soy diferente y único, yo puedo, soy capaz, soy inteligente, muchas personas me quieren, me gusta cómo soy, o estoy haciendo cosas para mejorar los aspectos que no me gustan, puedo manejar las situaciones, me va a ir bien, puedo hacer lo que me propongo". Tener una mente entrenada apaga la voz interna negativa, aquella que resuena en tu interior, haciéndote desconfiar de ti mismo para darle más peso a la opinión de los demás casi todo el tiempo. ¿Sabes que el 85 por ciento de la población mundial sufre de problemas de autoestima? y tú decidiste ser parte del 15 por ciento restante, que trabaja en su autoestima y que es consciente de sus fortalezas desde que comenzaste a leer este libro.

Introduce la siguiente idea en tu forma de pensar: *Centro mi atención en los aspectos que más aprecio en mi vida para recuperar mi autoestima.*

Comienza a tener presente que en todo el mundo no hay nadie que sea exactamente como tú, pero aun así te sigues sintiendo incapaz, y cuestionas cuál es la imagen que tienes de ti mismo. Sigamos con el personaje anterior, los primeros años de la vida de Pedro fueron cruciales para la formación de su baja autoestima. Pensaba que las experiencias que había vivido, incluyendo los años recientes, como la infidelidad de su novia, habían deshecho sus sentimientos de valía propia. Los problemas con su ex pareja afectaron aún más el concepto que tenía de sí mismo, provocando en él baja autoestima. La ruptura con su pareja dejó en él inseguridad, incluso tenía claro que era algo muy difícil de superar solo. Se sentía incapaz, sin atractivos personales, cada vez más inseguro y desconfiado. Necesitaba perdonar y perdonarse a sí mismo.

En el camino de la recuperación de su autoestima, recordó su última hazaña, y la reconoció como un hecho importante para su sanación: había conseguido hablar con su padre después de mucho tiempo sin comunicación, con la intención de escucharlo. Algo que era imposible de hacer, o siquiera pensar. Antes no era consciente de la importancia de amarse y amar a los demás, de perdonarse y perdonar.

Pero ¿Qué tiene que ver entonces la autoestima con el perdón? Ocurre que cuando permanecemos atados a resquemores, resentimientos, venganza, la tendencia es culpar a terceros de nuestras dificultades del presente, dejamos de asumir la responsabilidad por nuestra vida, por los cambios que podríamos hacer. Pero si permanecemos culpando a nuestros padres, al gobierno, a nuestra infancia pobre, a nuestro país, o pasado, es como si fuésemos un niño que no puede hacer mucho en su presente. Si nos vemos de esa forma, esto indica puntos flacos en nuestra autoestima. Pedro no estaba valorando el perdón como un hecho trascendental. Pero, sin dudas, este había sido un gesto de amor hacia él mismo y hacia su padre, y para él, esto significaba empezar a superar el pasado.

Comenzó a verse a sí mismo valioso y competente, e incluso valiente. Hablar con aquel hombre de rostro rígido, fue un gesto heroico. Se sintió bien, comenzó a percibir cómo el nudo en la boca del estómago que lo había acompañado desde pequeño, desaparecía progresivamente cuando comenzó a valorarse a sí mismo y a perdonar. Se liberó de sensaciones como el rencor y el resentimiento hacia su padre, sentimientos que lo habían paralizado durante mucho tiempo. Debía repetir esta nueva sensación. La sensación que provocaba el bienestar emocional luego de un acto de valentía, no tenía precio.

Aquella experiencia positiva se arraigó en lo más profundo de su ser, y activó una parte que había estado dormida en él. Ahora sentía bienestar; había experimentado una sensación similar a aquella que sientes cuando pruebas un sabor nuevo de una comida exótica. Y de inmediato se aferró a esa sensación. Consecuentemente, ocurrió un repentino cambio que lo llevó a tener una actitud erguida y llena de positivismo. Se llegó a decir a si mismo: ¡Yo sí puedo! Por primera vez en mucho tiempo miraba las fallas y desaciertos de los demás con compasión, había recuperado su dignidad, y se había vuelto más espontáneo. Había conseguido reducir su necesidad de autodefensa, primero con su padre, y ya no quería tratar a los demás con hostilidad.

Más adelante, trabajó junto con su terapeuta los patrones negativos de su pensamiento. La idea era juzgarse con menos rudeza como lo haría el peor de sus enemigos. De hecho, no necesitaba tener enemigos, pues él se veía a sí mismo como un miserable. Pedro reconoció que hacía interpretaciones negativas del concepto que tenía de sí mismo, y reconoció que suplicaba pidiendo afecto y amor, debido a exigencias de su infancia que perduraban aún en su adultez. Se infravaloraba, cuestionándose quién podría quererlo o cuidarlo. Fue entonces cuando inició un plan de autocuidado.

Ahora sabía que cuidarse bien también era importante para desarrollar la autoestima que tanto pretendía. Pedro comenzó a cuidar bien su mente y su cuerpo, indicó que merecía tratarse bien. Algunas cosas que podía hacer para cuidarse bien eran mantener una buena higiene, como ducharse todos los días, peinarse, cepillarse los dientes, usar desodorante y ropa limpia. Separó tiempo para hacer cosas que le gustaban, como tocar el violín, leer, ver películas o pintar. Los fines de semana se preparaba comidas saludables, seguía caminando, y dormía lo suficiente. Controlaba el estrés meditando sobre su día y sus dificultades, y además comenzó a hacer ejercicios de respiración profunda.

En diferentes ocasiones reclamaba ser valorado. Se sentía aterrorizado ante la vida, y le parecía que era imposible recibir el apoyo y el afecto tangible de los demás. Un hecho curioso fue que profundizó su tristeza a causa de su antigua relación amorosa, que de por sí era dramática. Le rogaba a su ex pareja, con frases como: "No puedo vivir sin ti" o "sin ti nada soy". Estas ideas irracionales concernientes al amor y aceptación se repetían en cada acto de su vida, y en las relaciones con los demás, donde repetía el mismo patrón. Eran ideas que se formaron durante la infancia: necesito amor y aprobación de todos los que me rodean. Debo ser amado y tengo necesidad de aprobación de las personas importantes que me rodean.

Comenzó a dejar de pensar que fue abandonado injustamente. Sabía que ese tipo de pensamientos creaban en él sentimientos de abandono a un nivel más profundo de su existencia. Se propuso diferenciar entre el hecho de amar y estar enamorado. Recién terminada su relación, pensaba que no podría continuar viviendo sin su pareja. Pero progresivamente pudo enfrentar su propio conflicto y deshacerse de lo irracional de sus ideas. Comenzó a digerirlas en buena medida. Se miraba al espejo y se daba un cumplido con respecto a su físico todos los días. Por ejemplo, podía decirse "¡Me encanta cómo me luce esta camisa hoy! ¡Estoy tan radiante y feliz!" También tenía como tarea tener claridad sobre el apego y un amor maduro, así como lo describí en el cuadro del capítulo anterior.

Pedro, ya con la mente más clara, pensó que algunas creencias negativas sobre la relación con su padre, quien había sido violento y mal encarado, lo hicieron sentir culpable por mucho tiempo, e inadecuado en sus relaciones con los demás. Incluso ni siquiera se sentía merecedor del amor de nadie, volviéndose incompetente e inseguro en las áreas más importantes de su vida. Ahora comprendía que los pensamientos no deseados incrementaban su dificultad de olvidar los acontecimientos dolorosos. Fue todo un descubrimiento que alivió su malestar emocional.

Más adelante, llegó a agradecer la ruptura de su relación, al saberse merecedor de todo lo bueno. Se sintió orgulloso de haber terminado una relación insana, y ahora podía ver aquel evento como una nueva oportunidad para comenzar a transitar el valioso camino hacia la sanidad. Era consciente de los pensamientos positivos, como el agradecimiento en general hacia la vida, y esto lo hacía sentir menos ansioso, triste o nervioso, y más alegre y sereno. Aprendió a detener los pensamientos que llegaban a su mente, aquellos dictados por su pasado: No sirvo para nada, las personas me buscan por interés, no merezco esto o aquello. Esos pensamientos le impedían disfrutar su ahora, y reconoció que seguir anclado al pasado era algo irracional.

Ahora, después de repasar contigo la experiencia de Pedro, aprovecha para prestar atención a tus pensamientos negativos, para reemplazarlos por pensamientos constructivos. Para ello, lee y utiliza algunas de las siguientes estrategias:

Utiliza afirmaciones esperanzadoras. Piensa sobre ti con amabilidad y apoyo. El pesimismo puede convertirse en una profecía autocumplida.	Por ejemplo, si piensas que tu presentación no va a ir bien, podrías en realidad tener problemas en su desarrollo. Intenta decirte a ti mismo cosas como: Aunque sea difícil, puedo manejar la situación.
Perdónate a ti mismo. Todo el mundo comete errores y los errores no son reflejos permanentes de ti como persona. Son momentos aislados en el tiempo.	Piensa mejor: Cometí un error, pero eso no me convierte en una mala persona.
Evita las afirmaciones "debería" y "tengo que". Si encuentras que tus pensamientos están llenos de estas palabras, podrías estar exigiendo demasiado a los que te rodean, y a ti mismo. Elimina estas palabras de tus pensamientos, pues al hacerlo, puedes caminar hacia expectativas más realistas.	Puedes decir: Quiero hacerlo, me gusta, creo en esto, disfruto, lo deseo. Coloca fecha para realizar tu tarea. Esfuérzate en terminar lo que dejaste de lado hace algún tiempo.

Céntrate en lo positivo. Piensa en lo bueno de tu vida.	Recuerda aquellas cosas que han salido bien recientemente. Considera las habilidades que has utilizado para afrontar las situaciones difíciles.
Redefine los pensamientos desagradables. No necesitas reaccionar de forma negativa a los pensamientos negativos.	En lugar de ello, piensa en los pensamientos negativos,como señales para probar patrones nuevos y saludables de pensamiento. Relajado, respira profundo, acéptalo, y continua con tu vida.
Plantéate ¿Qué puedo pensar y hacer para hacer esto menos estresante? Aprende a animarte. Date un voto de confianza.	Por ejemplo: Mi presentación podría no haber estado perfecta, pero mis colegas hicieron preguntas y se mantuvieron atentos, lo que significa que conseguí mi objetivo.

Estos pasos podrían parecer complicados al principio, pero se vuelven más fáciles con la práctica. Al comenzar a reconocer los pensamientos y creencias que están contribuyendo a tu baja autoestima, y ser consciente de las ideas limitantes, podrás contrarrestarlas de forma directa. Cambiar un solo pensamiento negativo por uno más constructivo te ayudará a reforzar tu valor como persona. Te sorprenderás al descubrir que puedes ver mensajes de este tipo por todos lados, y lo logras cuando comienzas a empaparte en el tema de la autoayuda. Este es un buen indicio de aprendizaje.

Por ejemplo, la actitud positiva de mirarnos con la bondad de un amigo, nos ayuda a aceptarnos y a querernos tal como somos. Esto te induce a reflexionar. Si quieres dejar de mostrarte con apariencia superficial, tendrás que verte a ti mismo como un ser único, con virtudes y defectos, y con ganas de mejorar cada día.

La personas con baja autoestima, tal como le sucedía a Pedro, siguen una conducta tendiente a la autodefensa. Pedro notó que si alguien le pedía una opinión, una idea o simplemente un consejo sobre algo, él por lo general respondía a la defensiva. En una ocasión, su mejor amigo le preguntó: «¿Por qué siempre estás a la defensiva? A veces uno solo quiere escuchar tu opinión». Ahora él aceptaba que sentía miedo, ya que esperaba ser criticado y rechazado, y con ese comportamiento evitaba exponerse. Era más fácil mentir, responder con sarcasmo, ser rudo e inclusive violento.

También había evitado comunicarse, se volvió manipulador y hablaba a espaldas de las personas luego de algún conflicto en sus relaciones. Llamaba la atención de los demás para ser aceptado de la manera más inusual. En ocasiones se veía involucrado en chismes y situaciones conflictivas con su grupo de trabajo, que lo acusaban de ser imprudente. «No piensas antes de hablar» le solían decir, «usas palabras halagadoras solo con el jefe; eres poco solidario; no colaboras con nadie».

Cada vez estaba más consciente de lo que era, y de lo que quería llegar a ser, había aceptado que se autoengañaba. Tenía sentimientos de inferioridad, pero a veces también de superioridad. En ocasiones, para defenderse, atribuía sus defectos a los demás, negando los propios sentimientos e ideas íntimas de su forma de ser. Aceptar que tenía debilidades le ocasionaba dolor y vergüenza. Veía los logros de los demás con envidia y pensaba: «Sí él pudo, yo también puedo», sin tener en cuenta que la superación personal viene acompañada de destrezas y habilidades individuales.

En su trabajo, manifestaba comportamientos que socavaban su éxito, postergaba, se involucraba en otras tareas que no eran su prioridad, haciendo cada vez menos probable que lo ascendieran e incluso que obtuviera un mejor empleo. En cuanto a este último aspecto, Pedro había aprendido durante la terapia, que la proyección mental en algunos casos se experimenta de forma fantasiosa, y que no siempre es negativa o desagradable hacia los demás. Más bien, se expresa cuando la persona no se conoce y proyecta en los demás algo deseable, pensando por rebote que si él pudo yo también puedo. El problema es que esta manera de pensar solo acarrea frustración.

De toda la narración, algunas ideas son cautivadoras, ya que representan nuestra propia mente racional. Algo que debemos tener en cuenta, es que si queremos saber cómo está nuestra autoestima, debemos prestar atención a la lectura que hacemos de la persona que hemos estado observando. La autoestima nunca se evalúa directamente en nosotros mismos, sino que la mostramos en las otras personas.

¿Cómo ocurre esto de proyectar lo nuestro en los demás? La proyección mental es una pista valiosa para conocer el funcionamiento de nuestra mente, la cual habitualmente nos engaña con facilidad. Lo que vemos en los demás nos dice mucho de nosotros mismos. Normalmente, pensamos que conocemos más a los demás, cuando en realidad solo estamos proyectando sobre ellos nuestra propia identidad. Cuando estamos frente a ellos, la proyección se da más claramente. Lo que ocurre con nuestros sentidos es que estos captan la imagen física de la otra persona para superponerla sobre nuestra propia visión, proyectando algunos aspectos de nosotros que son desconocidos. Por lo tanto, en la medida en que no asumamos e integremos los defectos propios, seguiremos atribuyendo a los demás lo inaceptable de nuestro ser.

En resumen, el autoconocimiento comienza cuando descubrimos la raíz de nuestro problema de autoestima. La formación de nuestra autoestima ocurre a la par de nuestro guión, en los primeros años de vida. Muchos padres son inconsistentes en la crianza de sus hijos. Aún los padres más pacientes, en muchas ocasiones se encuentran explotando en críticas o distanciándose de sus hijos, haciéndoles sentir que no son aceptados o amados debido a su comportamiento. Los niños tal vez no se ven tan afectados por incidentes aislados, pero sí son marcados por el resto de sus días cuando los padres hacen lo siguiente: critican, avergüenzan, rechazan y regañan de manera constante y repetida.

Propóntelo, y hazlo

Comienza por explorar el mundo real. Posiblemente notarás que es más amplio que tu mundo mental, pero no te fíes de este último. Atrévete a dar un paseo por un parque infantil para ver ejemplos de situaciones radicalmente opuestas al caos mental que llevas por dentro. Es fascinante ver la cantidad de amor y sonrisas que reciben los más pequeños para que aumente en ellos la autoestima necesaria, consolidando, en el futuro, su curiosidad. Y esa curiosidad es necesaria para proseguir en su aventura del amor a los demás.

Ejercicio 1

Analiza las siguientes preguntas a fin de explorar el origen de tu baja autoestima:

◆ ¿Hay algún hecho significativo que marcó tu infancia o adolescencia? ¿Hay factores como el acoso, la separación paterna, la migración, la violencia doméstica o abusos sexuales?

◆ ¿Qué relación tenías con tu madre o con tu padre, cuando eras niño o adolescente? Analiza si experimentaste una relación de apoyo en la que tus padres estaban disponibles para formar un apego seguro o si, por el contrario, eran figuras que te provocaban inseguridad e inestabilidad.

◆ ¿Qué críticas te hacían tus padres? Algunas de las críticas recibidas durante la infancia las introyectamos, es decir, las hemos aceptado sin protestar, definiéndonos en base a las críticas que recibimos en aquella etapa de la vida.

◆ ¿Cómo te transmitían tus padres el cariño? Escribe de forma concreta los gestos de amor, ya sean palabras, hechos, detalles, etc. Es posible que estas muestras de amor fueron muy limitadas o no fueron suficientes.

◆ ¿Cómo te describirías como niño y como adolescente? Profundiza tanto en las características de personalidad, como en tu desempeño, en los diferentes ámbitos de la vida. Es decir, en el ámbito escolar, familiar, social, artístico, y deportivo, entre otros.

Ejercicio 2

◆ Busca todos los días algo que te haya hecho sentir bien, tanto física como psicológicamente. Al principio es una tarea que te va a costar un poco de trabajo, ya que no estamos acostumbrados a halagarnos, pero al ejercitarlo, vas a fomentar el afecto positivo con tu persona. De esta forma, reducirás la dependencia emocional patológica.

Cuando cultivamos el amor propio, comenzamos a tener más confianza en nosotros mismo y comenzamos a mirarnos con agrado. Esto aumenta la capacidad de combinar la carga positiva hacia nosotros mismos y hacia los demás. Esta seguridad en nosotros mismos nos llevará a manejarnos con propiedad, y mostraremos autonomía para proyectarnos satisfactoriamente en la vida. La poca confianza nos hace dudar de nuestras capacidades y criterios, y a su vez, nos impide tomar riesgos calculados, establecer objetivos ambiciosos y actuar sobre ellos. Cuando aparece un conflicto entre lo que creemos ver en nosotros y lo que vemos en los demás, este tiene como origen el encuentro con esa parte nuestra que aun no conocemos. Toda crisis personal constituye un momento para enfrentarnos con nosotros mismos, algo que de por sí es un proceso difícil de realizar en soledad. Solo cuando nos veamos a través de los ojos de Dios lograremos visualizarnos de forma completa, magnífica e inesperada.

7 RECONOCE TUS EMOCIONES

6. A medida que transformamos nuestra mente, comenzamos
a amar y ser amados.
Descubre cómo renovar tu mente

Las emociones son una parte muy importante de nuestras vidas. La emoción es la gasolina de la acción, y por lo tanto, cada vez que sentimos algo, es para que hagamos algo que necesitamos hacer o creemos necesitar. Por esta razón, las emociones ejercen una enorme influencia en nuestra manera de pensar y de actuar, al grado de convertirse en el motor de nuestra manera de ser, y de llegar incluso a agobiarnos cuando ellas nos superan.

En este capítulo pretendo ayudarte a responder cómo puedes manejar las emociones. El manejo emocional serena la mente, lo que permite tomar mejores decisiones, sobre todo cuando nos enfrentamos a situaciones difíciles. Todo el tema apunta hacia los beneficios que nos trae desarrollar Inteligencia Emocional (IE), lo que comienza con reconocer las propias emociones, y el poder hacer conciencia de la manera en que respondes ante cada situación.

Las emociones básicas son seis: tristeza, alegría, sorpresa, miedo, asco u odio y enfado o rabia. Cada una de ellas nos está informando sobre algo de nosotros mismos. Esta idea nos lleva a reconocer que en la vida requerimos de habilidades para abordar cualquier situación que genere emociones. Al experimentar emociones de miedo o rabia, si no las podemos controlar, esto con seguridad nos acarreará vergüenza, desconfianza, inseguridad, frustración, pesimismo, desmotivación, o falta de compromiso, y hasta mostrará mal ejemplo de nuestra parte.

Si comprendemos de dónde nace este miedo, lograremos aprender a controlarlo. Es interesante saber identificar cada una de las emociones, para poder comprender su naturaleza y así controlarlas. Esta será la única forma de poder serenarnos en determinadas ocasiones.

Por ejemplo, cuando sintamos miedo por algo irracional, el mensaje aproximado que nos manda nuestro organismo sería algo así como:

Miedo:	Protégete
Sorpresa:	Entérate de qué está pasando
Odio:	Lo que tienes delante no te conviene
Ira:	No permitas que te agredan
Alegría:	Trata de reproducir este suceso que te hace sentir bien
Tristeza:	Replantéate el camino por el que estás yendo

Todas las emociones nos dan información sobre nosotros mismos y los demás. No hay emociones buenas o malas, en todo caso más o menos agradables, pero todas nos están mandando un mensaje que podemos descifrar. Por ello, conocerse a uno mismo lleva a precisar lo que sentimos, y cómo reaccionamos a ello nos ayuda a sobrevivir, a crecer, y a enriquecernos. El autoconocimiento representa una correcta gestión de los sentimientos, no un bloqueo de las emociones. La frase de Daniel Goleman, autor del best-seller Emotional Intelligence lo explica así: "una sana maduración personal no pasa por eliminar los sentimientos angustiosos, sino por aprender a detectarlos y tratarlos adecuadamente".

Se trata de la capacidad de reconocer un sentimiento en el mismo momento en que surge, de ser conscientes de esos estados de ánimo, y controlar las reacciones que provocan en uno. Si dejamos que las emociones se apoderen de nuestro ser, nuestra mente dejará de funcionar racionalmente, estaremos a merced de lo que sintamos en cada momento, tomando decisiones completamente impetuosas y nada reflexivas.

¿Cómo saber dónde estamos emocionalmente?

Veamos en este capítulo lo que ocurre con las emociones más básicas: miedo, tristeza, amor y alegría. La persona con autocontrol trabaja en sus emociones con una mente racional, es decir, sabe que los pensamientos controlan lo que siente. El hecho de querer ser felices requiere atender mejor las necesidades y dominar los hábitos mentales que pueden conducirnos a tener pensamientos más positivos. Así, una persona triste o con miedo, se ve inmersa en un espiral de emociones que no puede controlar, impidiéndole concentrarse y pensar con claridad.

Resulta obvio que la madurez emocional no surge de la nada, sino que requiere de trabajo, esfuerzo, voluntad y ganas de mirar nuestro interior. No solo es tener la cabeza decorada, sino también el corazón. Tener madurez da un cierto aire de serenidad y estabilidad en el tiempo. No todas las personas poseen el mismo nivel de madurez emocional, cada quien tiene su propio ritmo. Hay personas que están cerca de cumplir los 40 y aún no asumen responsabilidades, y son incapaces de comprometerse en su vida diaria, además, las verás desarrollando comportamientos infantiles.

Pero detrás de la inmadurez emocional se puede esconder algún fallo del cerebro, quizás no exista solo una persona caprichosa, sino una madurez en pleno proceso de desarrollo, ya que el cerebro sigue desarrollándose después de la infancia y la adolescencia, este no está totalmente maduro hasta que superamos los 30 años, e incluso no alcanza su plenitud hasta cumplir los 40. Vale preguntarse, ¿Cuáles son los rasgos de la madurez emocional en una persona adulta? ¿Soy yo una persona madura emocionalmente hablando?

Ahora bien, la madurez emocional es un término que se emplea para dar nombre a aquellas personas que poseen una Inteligencia Emocional alta, que han aprendido a autorregularse. En esta ocasión, aprovecha para introducir una nueva idea a tu mente: *la madurez emocional comienza cuando tienes la capacidad de aceptar la realidad de las personas y las cosas tal cual son.*

El autocontrol te lleva a una mejor compresión de las emociones propias y las de los demás. Cuando una persona se lleva bien con los demás, necesariamente ajusta lo que siente en el momento, y responde acorde a las circunstancias.

Actúa con la intención de seguir algunos Principios de Empatía:

DESCUBRE LO NUEVO.	DEPURA TU MENTE.
Ejercita el pensamiento. Indaga, pregunta, acepta, concéntrate en tus objetivos y en lo que te agrada. Descubre algo nuevo a diario. No des por hecho las cosas. Admite menos, y no supongas.	Selecciona con qué te quedas de los demás. Cada quien actúa bajo su propia historia de vida, destella sus conflictos y frustraciones, tú puedes decidir y elegir el tipo de pensamiento que queda en tu mente. Eleva tu pensamiento hasta conseguir que no te salpiquen las debilidades de los demás.
ACTÚA Y CEDE EL PASO.	HABLA Y CUIDA CADA PALABRA.
Limítate a hacer lo mejor que puedas, deja una huella en lo que hagas. Siempre deja lo mejor de ti. Sé una buena persona actuando de acuerdo a tu mejor versión. Cede todas las veces que puedas.	Piensa y luego habla. Habla menos, y piensa más en lo que deseas lograr. Cada palabra mal dicha sobre otra persona, baja un punto a tu autoestima. Puedes hacer cosas con tus palabras. ¡Decide tú!
MATIZA LAS EMOCIONES.	FLUYE.
Colorea las emociones de un tono gris. Lleva tus emociones al centro de la razón; ni las cosas, ni los demás son blanco o negro. Neutraliza lo que sientes hasta sentirte en calma.	Conquista tu estado óptimo emocional; la paz mental junto a la pasión por lo que haces bien y con ganas en todo momento. Acepta la duda, la confusión, el miedo, y los altibajos emocionales para poder fluir.

La madurez es el concepto que define a una persona que tiene las capacidades de tener empatía con los demás, analizar una situación de forma imparcial, y controlar sus emociones con el fin de conseguir sus propósitos satisfactoriamente. La idea es poner en práctica los principios de empatía cuando estás en una situación conflictiva o de incomodidad con la otra persona. La principal característica en una persona madura es mantener la serenidad mental, para eso se debe aceptar que en la vida están presentes los bajones emocionales, los momentos malos y los menos malos, los buenos y los mejores. Acepta, juzga menos, y sé más curioso. La vida cambia constantemente. Crea historias originales, no descabelladas. Ten presente que lo que dices habla más de ti que de la otra persona. Todo esto encierra la actitud empeñada que tiene una persona madura.

¿Quieres saber si estás en el proceso de la madurez emocional? Pregúntate ¿Tomas decisiones con firmeza? ¿Tienes independencia emocional? Comienza a ver tu proceso de madurez emocional de manera progresiva, paso a paso puedes avanzar hacia la independencia emocional y la interdependencia cuando trabajas con los demás.

Para aprender, no hay nada mejor que saber acerca de este tipo de personas que han conquistado su madurez emocional. Así, de paso, averiguarás si tú reúnes estas mismas condiciones, o al menos alguna de ellas. De ahí, puedes distinguir tres grupos según el grado de autoconocimiento emocional de una persona:

Los primeros son los *bebés emocionales*. En esta etapa, las personas dependen de los demás, necesitan de otros individuos que los cuiden, en lugar de asumir sus palabras o acciones para que los demás los tomen en cuenta. Esto les dificulta mucho comprender el mundo emocional en general. Aquí el desafío consiste en dejar de pensar en uno mismo y pensar más en la gratificación de los demás, dejando de lado la satisfacción de las propias necesidades. La insatisfacción lleva rápidamente a la desilusión ante las presiones y los problemas de la vida.

Los bebés emocionales pueden relacionarse eficientemente en su entorno, pero se desploman cuando hacen frente a las tormentas de las dificultades. La angustia puede llevarlos a entender los desacuerdos como una ofensa personal, y a interpretar cualquier acontecimiento de la misma manera. Sienten que sus sentimientos han sido heridos y se llenan de quejas. Esto les provoca una comunicación imprecisa, hiriente, hostil o sumisa. Al tener una necesidad, en lugar de expresarla, reclaman aquello que desean, sin calma y de forma demandante. Un bebé queda atrapado por sus emociones, se ve superado por sus estados de ánimo. Sus emociones le controlan y manifiesta comportamientos inconstantes y exagerados.

En la siguiente etapa está el *adolescente emocional*. Este se encuentra a la defensiva, y es inconforme ante la vida. Quien experimenta esta etapa, se siente amenazado y alarmado por las críticas de los demás. Además, mantiene un registro de todo lo que da para luego pedir algo a cambio, y no puede perdonar con facilidad. Maneja mal los conflictos que surgen en sus relaciones, generalmente culpa a otros, y para apaciguar el asunto acude a una tercera persona. Luego pone mala cara o ignora el tema por completo. La falta de empatía no le permite ponerse en el lugar de los demás y tiene dificultades para percibir correctamente el sufrimiento de los otros. Estas reacciones provocan una sensación de vacío emocional, agotamiento, y falta de cumplimiento en sus tareas.

Estos adolescentes emocionales son los resignados a sus sentimientos, en estos casos, los sujetos sí son capaces de identificar las emociones que les surgen en cada momento, pero no tienen la habilidad para gestionarlas, dejándose arrastrar por ellas con resignación. Resulta obvio que los que conforman estos dos últimos grupos están cansados y estresados debido a la exigencia personal de rendimiento superior al normal. Para ellos, cuenta mas la opinión del grupo que la propia.

Pero en esta etapa, la persona comienza ya a hacerse cargo de sí mismo, tiene cómo hacerlo, puede identificar los pensamientos absurdos o irracionales, pero recurre a las llamadas "rabietas" o comportamientos infantiles y a explosiones emocionales ante la frustración e incomprensión de los demás. Anhela tener autonomía e independencia, pero a pesar de esforzarse por conseguir sus metas, culpa a los demás de su infortunio cuando las cosas le salen mal. Estas personas corren el riesgo de experimentar una transformación superficial, y actúan pensando siempre en el qué dirán.

Y en la etapa de madurez más sólida, las personas se ven estables, toleran más la frustración, aceptando la responsabilidad de sus actos sin acudir a las excusas. Poseen la suficiente amplitud mental para escuchar de manera adecuada la opinión de otros. Han conseguido cierta serenidad, y la transmiten en la relación con los demás. Están conscientes de sí mismos, saben quiénes son y hacia dónde van, toman decisiones para ser felices, no culpan a los demás si las cosas salieron mal o bien. Estos son los *maduros emocionales*. Este grupo de individuos ha logrado el pleno autoconocimiento, y por ello, saben detectar qué sienten, por qué, a qué les conduce este estado de ánimo, y cómo controlar sus reacciones.

Como consecuencia, mantienen la calma en todo momento, son asertivos, se comunican, y han desarrollado la interdependencia combinando el esfuerzo propio con el de los demás. Con la ayuda mutua, saben qué lograr, y adelantan sus tareas o desafíos. Saben expresar lo que sienten sin lastimar a los demás, valoran los sentimientos ajenos y los propios, se sienten cómodos con sus sentimientos. Ellos construyen sus relaciones interpersonales, admiten adecuadamente las críticas o situaciones adversas, y muestran grandes dosis de autoconfianza y humor.

Finalmente, esta madurez se alcanza cuando ya no tienes necesidad de juzgar ni culpar a nada ni a nadie de lo que te sucede, y respondes con facilidad a la pregunta: ¿Quién soy yo?.

¿Cómo reconocer las emociones?

Nos debatimos entre la razón y nuestras emociones, como si las emociones perturbaran la inteligencia. Le atribuimos a la emoción el carácter placentero, transcendental e irracional, tanto que nos hace pensar que las emociones carecen de utilidad, que solo sirven para meternos en problemas, sin ver la utilidad de ellas, lo cual es un craso error. Se confunde el falso concepto que se tiene del crecimiento emocional, asumiendo que es biológicamente natural o automático, llevando a las personas a descuidarlo. Regular las emociones resulta mas difícil, sobre todo, cuando no aceptamos quiénes somos.

Aquí no se trata de clasificar las emociones en positivas o negativas, lo que entraña riesgos; sino más bien, de comprenderlas y trabajar en ellas con conciencia. Veamos nuevamente a Pedro, nuestro personaje ficticio. Imagina que él es una persona que sufre a causa de sus miedos e inseguridades, y en muchas situaciones siente temor y ansiedad. En una ocasión, ante la necesidad de mejorar su salario, sabía que debía plantear la situación a su jefe, es más, creía que merecía una mejor retribución por las muchas horas que dedicaba a su trabajo, pero siempre que lo intentaba, el miedo lo paralizaba, y en consecuencia, lo solía aplazar para una mejor ocasión. Ese malestar, insatisfacción y estrés, cada vez se acentuaba más, incluso llegó a afectar su concentración en el trabajo.

¿Por qué Pedro siente miedo? No es por la situación concreta que ha de afrontar, puesto que para otras personas puede ser incómoda, pero no paralizante. Él siente miedo por lo que ocurre en su interior. Todo radica en la forma en que interpreta sus emociones, y esto puede cambiar la forma en cómo vive.

La manera en que tú reacciones frente a una emoción condicionará cómo ella actúa sobre ti. ¿Por qué Pedro no es capaz de conversar con su jefe, exigiendo lo que es su derecho, pero su compañero sí puede hacerlo? ¿Por qué hay personas que en una discusión sucumben a la ira, mientras otras mantienen la calma?

Hay personas con tendencia a plantearse escenarios dignos de una película de terror, llenos de peligros que probablemente nunca llegarán a suceder. Personas que tienen miedo a decidir desde la incertidumbre. Personas con creencias tan limitantes sobre ellas mismas, que se sienten incapaces de avanzar. Personas que viven con miedo de tener miedo. Por ejemplo, el orador que sufre a frente la idea de hablar en público lo hace porque interpreta sus nervios como algo negativo, como una señal que le está enviado su cuerpo para que salga corriendo de allí. Pero alguien que interprete esos mismos nervios como excitación y ganas de hacerlo bien, probablemente tenga más éxito en su conferencia si se centra en el propósito y objetivo que está viviendo en ese momento.

La enseñanza es que nuestro cuerpo nos proporciona emociones para hacer algo, pero cómo usar esa energía o emoción lo decide cada quien. Hay personas que pagan, y hacen fila durante horas para subirse a una montaña rusa, mientras que otros no subirían ni en sueños. Ambos sienten la misma ansiedad, pero la interpretan de forma diferente, unos se inclina hacia la diversión, mientras que otros se inclinan hacia el terror.

Por ejemplo, la tristeza no siempre tiene que tener una connotación tan negativa. Sentir tristeza por la pérdida de un ser querido, además de ser natural, es adaptativo, necesario, y muestra la madurez emocional de una persona. Lo innegable es que, aunque este tipo de emociones no tienen por qué ser dañinas, sí son poco placenteras, y sentir con frecuencia tristeza nos instala en un estado emocional nada deseado.

Ante todo, cuando se trata de manejar adecuadamente las emociones que más te abruman, primero necesitas aceptar que las emociones están causando problemas, pero por algo están allí, tienen una razón de ser. Este tipo de emociones, sirven para indicarte que algo te está molestando o interfiriendo con tus deseos, valores, expectativas o actividades. Te demuestran que es necesario hacer algo al respecto.

Luego, reconoce que algo en tu interior o exterior te está molestando, te disgusta o te hace sentir mal. Esto parece obvio, pero no lo es. La sociedad te enseña a desconectarte de las emociones, sobre todo a los hombres. Desde pequeños, cuando algo causaba dolor, nos enseñaban que con un dulce, un juguete, un beso o haciendo algo, se nos pasaría. Y que mientras más pronto pasara, pues sería mejor.

Por ello, cuando reconocemos nuestras emociones, estamos explorando lo que sentimos, y por ende, conociéndonos. Cuando detectas lo que sientes cuando estás enojado, te darás cuenta si en realidad estás deprimido, asustado o si te sientes culpable. Así, aprender a identificar la emoción lo antes posible, resulta útil, ya que mientras mayor sea su intensidad, menor control tendrás sobre ella, lo que te llevará nuevamente a "poner los pies sobre la tierra".

Al mismo tiempo, detectar qué tipos de pensamientos tienes respecto a esa situación, a las personas involucradas y a nosotros mismos, te ayudará a manejar lo que sientes. Recuerda que, independientemente de la situación, tus pensamientos aumentan y mantienen tus sentimientos. No hay pensamiento ante el miedo, solo es una reacción emocional ante un estímulo peligroso. Se reacciona sin pensar. El cerebro está filogenéticamente diseñado a sentir miedo ante un estímulo peligroso o potencialmente peligroso.

En el caso de Pedro, el miedo y la ansiedad que le impedía expresarse se ocultaba detrás de un pensamiento abrumador, que era pensar en las consecuencias que le traería decir su necesidad. Por ejemplo, le podía causar un despido, lo cual era muy peligroso, por ello, en más de una ocasión se guardó para sí mismo lo que realmente quería compartir con los demás y con su jefe. No era asertivo, estaba envuelto en un espiral emocional lleno de inseguridad y desconfianza. Le resultaba más fácil disimular lo que sentía, que expresar el dolor, el enfado, o la decepción.

Cuando reprimes los sentimientos, y rechazas lo que sientes, lo haces para mantenerte en una zona de comodidad, o para mostrar la imagen ideal que tienes de ti mismo.

Ahora aprovecha este momento para introducir una idea nueva a tu mente: *Cuando reprimes las emociones, cuando es muy difícil procesar y hacer ajustes en lo que sientes, corres el riesgo de actuar incorrectamente.*

¿Cuáles son las consecuencias de actuar disimulando las emociones? El problema es que cuando las emociones negativas no se expresan, ese resentimiento o malestar se va acumulando y en un momento u otro, tarde o temprano, nuestra salud lo refleja. Así, la rabia, la tristeza, el dolor, o el miedo, son emociones que han sido etiquetadas como negativas en nuestra sociedad. Algunas culturas modernas las relacionan con la debilidad, más que como un potencial humano. "Pienso, luego existo", restando importancia a la emoción y su expresión.

En consecuencia, la tendencia es a negarlas, reprimirlas, camuflarlas o disimularlas. Es común escuchar expresiones tales como: "Si te ven triste o llorando, van a pensar que eres débil". "Deja el enojo: van a pensar que eres un amargado". "No te rías tan fuerte: te ves vulgar cuando lo haces". "Contrólate, no llores. Los hombres no lloran", entre otras.

Con estas ideas en mente, veamos algunas situaciones que tienden a ser causadas por emociones ocultas.

Por ejemplo, piensa por un momento qué sucede cuando alguien te cae mal. Claro, puede ser que esa persona tenga aspectos desagradables que justifiquen tu rechazo, pero cuando una persona te cae muy mal, en especial cuando prácticamente no la conoces, vale la pena preguntarte, ¿Qué representa para mí esta persona? Tal vez veas en ella cosas que no te gustan de ti, puede que sea un espejo que no quieres tener que mirar. Tal vez esa persona tenga cosas que admiras, pero no te gusta admitir que esa persona tiene virtudes y tú no, por cierto, este sentimiento se llama envidia, y es uno de los más difíciles de admitir. En todo caso, es una oportunidad, si te atreves a tomarla, de conocer un poco más de ti y de desarrollar aquellas cualidades que te gustaría tener, en lugar de envidiar a quien sientes que sí las tiene.

Otra situación puede ser cuando una persona se enferma con frecuencia. Las enfermedades pueden tener origen en diversas emociones, y tal vez, sorprenda que el afectado no tiene que remover mucho en su mente para encontrar la causa de su enfermedad. Es bien sabido que las enfermedades tienen, en muchos casos, orígenes emocionales. Por ello, considerar hacer un análisis de qué emoción o emociones pueden estar estresando a nuestro cuerpo de tal manera que tus defensas bajen constantemente, resulta útil para mantenerse saludable.

Además, un dato interesante sucede cuando postergas una tarea importante. En este caso, realizar una tarea que sabemos es importante y aun así encuentras siempre la forma de dejarla para después, es muy probable que el prospecto de hacerla esté provocando una emoción que tratas de evitar sentir. Tal vez la tarea te genere angustia por no saber cómo hacerla, o tengas miedo de hacerla mal y sentirte tonto o inadecuado. En todo caso, cuando pienses en dicha tarea, seria bueno prestar atención a la emoción que experimentes, esto te dará un indicio de por qué te resulta tan difícil comenzarla.

En definitiva, revelar las emociones que se esconden en otras situaciones puede ser un camino incómodo y difícil al principio, pero vale la pena recorrerlo porque mientras más te conozcas, más te podrás calmar y controlar, en lugar de que ellas te controlen a ti.

Aprender a controlar las emociones

Las emociones no aparecen o desaparecen cuando uno lo decide. Del mismo modo que los pensamientos no llegan a la mente cuando lo pretendemos. Pero, ¿Es posible tener algún control sobre las emociones, o debe uno resignarse a que dominen nuestros actos? La idea clave para lograr efectividad en el manejo de las emociones no es controlarlas o negarlas, sino permitir que fluyan, lo cual no quiere decir que las reprimas.

Veamos otros ejemplos que pueden explicar lo que ocurre con las emociones. Si bien tiene sentido que te sientas triste cuando recibes malas noticias, eso no significa que la única opción sea quedarte llorando en un rincón, ya que esa actitud probablemente te mantenga afligido durante más tiempo. Por ello, algo que ayuda es reconocer que estás triste a la vez que te esfuerzas en hacer algo productivo que te ayude a sentirte mejor que antes.

Si estás enojado con tu pareja, puedes dar rienda suelta a tu enojo y le lastimas, violentas sus derechos y le atropellas traspasando sus límites, o más bien, dejas que tu emoción te informe qué está pasando contigo, para luego decidir cómo atenderle de la manera más segura y productiva. Al fin y al cabo, ¿cuál es la premura a responder?

Realiza el siguiente ejercicio de Defensa Emocional, el cual consiste en ver la emoción como una fuerza que busca expresar una necesidad de tu cuerpo y trata de absorber dicha fuerza. Adquiere plena conciencia de lo que estás sintiendo, y procura no bloquearla para que complete su movimiento. Utiliza su fuerza para que continúe su recorrido, en lugar de bloquearla causando que te agobie. Cambiar la manera de ver tus emociones te libera, dándote un enorme flujo de vitalidad que se manifiesta en forma de relajamiento, creatividad, satisfacción, y poder personal.

Propóntelo, y hazlo

Aquí te mostramos ejercicios sencillos que con la práctica te ayudarán a manejar tus emociones. Haz la prueba por unos días consecutivos para ver resultados deseados:

◆ Practica el equilibrio emocional: Coloca tus emociones en una balanza, no vale la pena llegar a los extremos, ni aún menos caer en el drama, porque a largo plazo, siempre acabamos perdiendo. No te dejes manipular, ni acudas a respuestas cargadas de ira o rabia. Lo ideal es el término medio. Nunca lleves tus emociones a los límites. Cuando notes que estás a punto de "explotar", visualiza un espacio favorito. Antes de actuar, piensa, razona, y analiza la situación. Piensa antes de actuar en un sitio privado de tu mente que te aporte la calma suficiente.

◆ Desarrolla la empatía para aumentar tu Coeficiente Emocional: Comienza a dejar de pensar tanto en ti, en lo que te incomoda, y en lo que no te gusta. ¿Y si intentamos empatizar con quien más nos incomoda? Piensa en ese jefe, ese que quizás no te respeta lo suficiente, o en ese compañero que siempre habla mal de los demás y que solo busca problemas. Intenta ponerte en su lugar, y tal vez descubras que detrás de ellos hay inseguridad o baja autoestima. Pruébalo, puede ser un buen aprendizaje. Nos es más fácil ponernos en el lugar de las personas que más sentimientos positivos nos trasmiten. Nos identificamos mejor con ellas, y el nivel de comprensión y acercamiento es más intenso. Pero inténtalo una y otra vez, hasta que lo conviertas en un hábito.

◆ Desarrolla más habilidades sociales: Comunícate un poco mejor, y no solo mediante las palabras, también con los gestos. Acércate más a las personas que tienes a tu alrededor, dibuja una sonrisa, ofrece una caricia, una suave palmada en la espalda, o un abrazo. Verás que la reacción de quienes te rodean será diferente. Busca y ofrece emociones positivas, intenta escuchar un poco mejor a quienes tienes delante y escudriña su mirada. Tal vez descubras más cosas que con las simples palabras. Ponlo en práctica para mejorar tu Inteligencia Emocional, y sé más feliz haciendo también felices a los demás. En el siguiente capítulo, intentaremos demostrar a través de ejemplos la forma en que disfrazamos lo que sentimos, y cómo nos engañamos a nosotros mismos. También trataremos de dar respuesta a la siguiente interrogante: ¿Cómo podemos gestionar las emociones para hacer visibles sus escondites preferidos? Como bien dijera Daniel Goleman, "cuanto más abiertos estemos hacia nuestros sentimientos, mejor podremos leer los de los demás".

La felicidad tiene un componente emotivo, que al sintonizarse con un crecimiento personal y proyectarse hacia el bienestar de los demás, te produce estabilidad emocional. Sólo reconociendo lo que sentimos podemos controlar y manejar la situación que lo está provocando. La manera más adecuada de manejar los sentimientos que nos inhabilitan, como el odio, el rencor, o el desánimo no superados, es expresando alegría y amor por todo lo que tenemos en la vida, colmándonos de estímulos y motivaciones, y dejando de lado el pasado. Es muy importante valorar la vida, fomentar las relaciones familiares y sociales, hacer cosas que nos hagan sentir bien, y estar más en contacto con la naturaleza. Tomar consciencia del poder de los pensamientos y actuar sobre ellos. Tomar consciencia de las palabras que expresamos, y el estado emocional o sentimientos con que enfrentamos las situaciones que se nos presentan. Esa toma de consciencia determina lo que será un buen o mal día. Un pensamiento positivo puede ayudar a mejorar nuestras tensiones y malestares, y vivir una vida más tranquila. Entrena tu mente para tener entusiasmo y optimismo ante las vicisitudes de la vida, estas son las fuentes para ser felices.

8 CONVIÉRTETE EN UN SABIO

6. A medida que transformamos nuestra mente, comenzamos
a amar y ser amados.

Descubre cómo renovar tu mente

Cierto día, un anciano y sabio maestro caminó desde una
ciudad a la siguiente con algunos de sus discípulos. El anciano
se acercó a uno de ellos y le dijo:

—Estoy sediento, ¿me traerías un poco de agua del río?

El discípulo obedeció, y fue hacia el río. Cuando llegó,
notó que había gente lavando sus ropas en el agua, mientras
que un carruaje cruzaba el río. El casco del caballo agitaba el
lodo del fondo y ensuciaba el agua. «¿Cómo voy a dejar que
mi maestro beba de esta agua lodosa?» Pensó para sí mismo.

Volvió hacia el maestro para decirle que el agua estaba
lodosa, y que él pensaba que no estaba apta para beberse.
Después de media hora, el maestro llamó al mismo discípulo,
y le pidió un poco de agua. El mismo, obediente, volvió al río.
Para su sorpresa, esta vez encontró un lago de agua clara y
limpia. Todo el lodo se había asentado en el fondo, y el agua

estaba nuevamente apta para ser bebida. El discípulo recogió un poco de agua y volvió hacia el maestro. Éste miró el agua, se volvió hacia el discípulo; y dijo:

—Mira lo que has hecho para que el agua esté limpia. Sólo la dejaste tranquila, el lodo se hundió solo, y tú obtuviste agua limpia. Tu mente funciona igual, cuando está molesta y confusa, debes dejar que pase un tiempo.

Una pequeña y bella enseñanza sobre lo que realmente se necesita para alcanzar la verdadera paz mental y la sabiduría. Aunque esta historia parece simple al principio, su mensaje nos incita a pensamientos y reflexiones. Una buena reflexión es: *tener serenidad mental abre la puerta para conquistar la madurez emocional y actuar con sabiduría.* Este estado mental, tan poderoso en la adversidad y delicioso en la alegría, no se detiene en la queja o en el murmullo del sufrimiento inútil, sino que avanza en la solución de los conflictos, y se centra en la creación de opciones positivas que puedan por sí mismas mostrarnos el camino a seguir en cada oportunidad.

En suma, la virtud humana de la sabiduría posee sus principales componentes en la capacidad de empatizar, en la compasión, la estabilidad emocional, la sensatez, el autoconocimiento; y algunas actitudes como la tolerancia hacia las diferencias individuales y la necesidad de trascender en la vida.

Elevarse con sabiduría significa estar consciente que existe un propósito en las cosas que ocurren en el mundo y en la propia existencia, alzando la mirada para seguir el camino de la realización. Creer que existe algo superior que da forma o determina nuestra conducta y nos protege, nos convierte en seres espirituales. Aquí me interesa recalcar que conocerse a uno mismo es el camino para trascender, y también es el camino hacia de realización espiritual.

En otras palabras vale preguntarse, ¿es realmente posible estar sano mental y emocionalmente, sin trascender? Y más aún, ¿se puede llegar a ser realmente feliz en la vida sin transcender? En este capítulo abordo mi respuesta, ¿y tú?

Sería apropiado que la respondas durante la lectura de estas líneas, y que te des cuenta de las emociones que respaldan tu espiritualidad.

En sí, toda persona sabia tiene una vida emocional estable y robusta. La sabiduría que muchos desean proviene de una vida espiritual atendida con devoción. Por ello, las virtudes se consiguen estando conscientes, y trabajando en las emociones que acompañan a cada desafío. La sabiduría es un proceso que nunca termina; la interdependencia con los demás provoca resultados para el bien de todos. Quien no se deja enseñar por otros, no puede decir que tiene sabiduría, ni hay sabio que no trabaje en función del bien de los demás.

La persona que busca trascender tiene una inquietud que la persigue: la necesidad de dejar una huella en el mundo. Pero, ¿qué pasa con las personas que no lo hacen? ¿vivirán una existencia mediocre y trivial? Sí. Están centrados en la huella de su ego, en ser famosos, populares, conocidos. Es el ego el que les inquieta. Esta incomodidad les nace de la profundidad de su ser, y tiene que ver con su *metanecesidad*: "una necesidad que no tiene que ver con los asuntos elementales de la supervivencia, sino con el espíritu" (Maslow). ¿Qué significa eso? Que la persona, racionalmente o no, se reconoce como parte de un despliegue más grande que su propia pequeña vida, y que siente que debe ser parte activa en ese proceso para la evolución del todo.

En resumen, tener sabiduría no es conocer todas las cosas, sino practicar cada día lo que se va aprendiendo para trascender, y aportarle a la vida un mejor estado que cuando llegamos. Sabemos que andamos en el camino correcto cuando actuamos con serenidad mental para elevar nuestro pensamiento a una sabiduría superior. La sabiduría dicta tener amplitud de miras, y escuchar con atención lo que otros tengan que decir, incluso si estamos convencidos de que nos asiste la razón (Proverbios 18:17).

Temor de Dios

La sabiduría que viene del temor en Dios nos lleva a trabajar con disciplina en nuestros talentos, en la humildad, la obediencia, y el amor. El temor de Dios significa una conciencia vívida de que Dios es Dios y yo no lo soy. Ese es el inicio de la sabiduría, saber realmente que yo no soy Dios. La dependencia de Dios produce un comportamiento que está claramente dispuesto a dar testimonio, lejos de la arrogancia; a marcar pautas visibles para que efectivamente los demás también puedan gozar de paz. A diferencia de la irreverencia, la independencia de Dios convierte a la persona en un ser frágil que puede perder toda esperanza, debilitando su fuerza emocional y llegando incluso al extremo de ocasionar una vida fracasada.

Podemos decir que el temor de Dios nos da la fuerza emocional para resolver los problemas que se nos presentan a diario, de forma eficiente, con la oración e inspiración en el Señor. Esta relación produce la única dependencia emocional que genera dignidad y libertad. Nos confiere bondad y amor que se manifiesta en actitudes positivas respecto a nosotros mismos y en la convivencia con los demás. Esto a su vez nos permite hacer frente al estrés de manera más eficiente y enérgica que aquellos que no temen a Dios.

El temor de Dios consiste en un sentimiento de profunda reverencia hacia el Creador, que alimenta las capacidades mentales para que tengamos una vida con propósito y sin miedo al futuro. Reconocer las emociones de miedo, inseguridad, ira, ansiedad y angustia, resulta vital, sobre todo porque son el origen y la cronicidad de muchos sufrimientos. Cuando no se trabajan las emociones ocultas, se debilitan las fortalezas, y afloran los defectos, y esto impide el verdadero aprendizaje diario.

Todos necesitamos creer en algo, aunque no nos guste reconocerlo. Creer en Dios nos hace sentir felices, tranquilos y seguros. Cuando empieces a cultivar tu espiritualidad, tu vida cambiará radicalmente, te sentirás lleno de alegría, paz, tranquilidad, sabiduría, fe y buena energía. Te llevará a ser mejor persona y a vivir supremamente bien.

La bioquímica del Temor de Dios

El cerebro cambia, cuando alguien intencionalmente decide realizar un acto de generosidad. Entonces se activa la zona altruista y se refuerza la comunicación con la zona cerebral de la felicidad. Este efecto se desarrolla incluso antes de realizar dicho acto. El propósito final de conquistar la felicidad redirecciona los intereses propios hacia una vida de servicio a los demás. Esto ocurre cuando estamos conscientes de la identidad para la que hemos sido creados. La Biblia dice: "Si no tengo amor, nada soy".

Ahora bien, ¿qué mecanismos se activan en el cerebro cuando nos sentimos atrapados ante la reverencia a Dios? Puede resultar curioso hablar sobre este tópico. ¿Qué efectos provoca en nuestro cerebro el temor de Dios? A partir de la ciencia, sabemos que el miedo produce un estado bioquímico perjudicial a nuestro organismo. Si una persona se somete a un prolongado período de estrés, esto trae como resultado altos niveles de cortisol en sangre. La sensación de temor depende de una compleja red cerebral. Es el mediador racional en situaciones de conflicto lo que dirige nuestra atención al modo de supervivencia. A través de él, determinamos la importancia que tiene el estímulo y según se considere, se envía como respuesta el miedo.

Los científicos llaman miedo al sistema de alarma que nuestro cerebro activa cuando detecta una posible amenaza. La evidencia científica nos da las pistas de la naturaleza humana. El miedo es una respuesta útil y adaptativa que conlleva cambios en la fisiología, los pensamientos y el comportamiento. Saber qué áreas del cerebro nos llevan a aprender el miedo supone un paso esencial para que podamos borrar el aprendizaje patológico del mismo. Millones de personas con trastornos del miedo en todo el mundo lo agradecerían. Pero no es el origen del miedo a lo que se hace referencia en este capítulo.

A veces mostramos control emocional ante los demás, pero en el fondo de nuestra conciencia reaccionamos como un bebé lleno de emociones descontroladas ante las dificultades. Esto nos indica que hay alguna situación y/o emoción a la que no nos podemos enfrentar, sin entender que escondiéndola solo ayudamos a enraizarla aun más. No podremos conectar nuestra mente con la de Dios a menos que preservemos nuestra salud mental. La sabiduría comienza con cuidar lo que pensamos. Todo lo que pensamos es nuestra responsabilidad.

De hecho, la Biblia dice que el principio de la sabiduría es el temor a Jehová (ver Prov. 9: 10). El temor que guarda prudencia y reverencia ante Dios durante el acto de la oración, aumenta la producción de muchos neurotransmisores muy útiles, como la dopamina, que ayuda a promover un estado de relajación, foco, motivación y bienestar. Tal como sucede en la meditación, estimula altos niveles de creatividad, y espontaneidad.

A su vez, la reverencia lleva al creyente a un estado de concentración, las ondas *thetas* permiten recuperar en la memoria a largo plazo las emociones reprimidas, y mejorar la conexión espiritual. Esto explicaría por qué las personas felices, que tiene temor a Dios, pueden rendir más, son más creativas, y aprenden mejor.

La meditación y la oración pueden modificar la estructura de nuestro cerebro, está claro cómo los estados del cerebro y del sistema nervioso pueden crear la vivencia de la experiencia religiosa. En el cerebro toma cuerpo el sentimiento subjetivo de felicidad, que resulta de integrar un componente emocional, como experimentar más placer y menos desagrado, y otro cognitivo, la evaluación de la propia vida como satisfactoria.

De igual modo, por ejemplo, una persona que afirme estar sintiendo una conexión con Dios, presentará niveles más altos de actividad dentro de una región cerebral denominada *gyrus* frontal medio derecho. Sabemos que esta área está relacionada con las emociones positivas.

Estar entre el bien y el mal

Tal como lo hablamos en el capítulo anterior, las emociones son el motor energético de tus acciones. Para construir virtudes a un nivel máximo de realización espiritual, tendríamos que trabajar en nuestra inteligencia emocional. Una persona honesta matiza la vida de principios, convicciones, confianza y sinceridad, y expresa la disposición de vivir en la verdad, entendiendo cuando cae en la insensatez o en dobles discursos.

La persona honesta conoce sus emociones, esto le permite llevar una vida íntegra a la par de sus exigencias morales. Cada día aprende a tratar su necesidad con inmediatez, llegando a ser capaz de superar la dualidad entre lo que es y lo que debería ser.

Veamos un ejemplo. La conducta honesta es el resultado de un conflicto entre el deseo de hacer algo inmediatamente agradable, pero probablamente dañino a largo plazo en contraposición a una norma moral. Cuando incurrimos en la inmediatez de una tentación frecuentemente, sentimos culpa al ceder a nuestros caprichos. Cada vez que somos honestos, reafirmamos el respeto por nosotros mismos y por los demás, en cambio la deshonestidad no respeta a la persona en sí misma, ni a los demás.

La sensatez es en definitiva lo que todos queremos tener, todos queremos ser personas congruentes, la razón es simple, si no hay balance, eso significa que estamos viviendo mal, y vivir mal causa estragos y dolor, enfermedades y angustias, y cuando es en demasía, puede llegar a causar la muerte.

Es cierto que el estado de congruencia de balance perfecto no existe. Entiendo que los humanos somos imperfectos, pero sí somos perfectibles y esa es la oportunidad más grande que la vida nos da día a día. Somos como un balanza que es muy sensible y fácil de desbalancear, y muy compleja de mantener en equilibrio, ¿la razón? Tenemos muchas tentaciones y caminos fáciles y falsos, que entran en conflictos entre hacer el bien o hacer el mal.

La manera de balancear las emociones, ante todo, consiste en el autoconocimiento, conocerse es la semilla de la vida interna y externa. Las personas viven evadiéndose a sí mismas, y teniendo miedo de descubrir quiénes son, lo que acentúa aun más la discrepancia de sus pensamientos y emociones. Los dones y habilidades innatas solo se pueden desarrollar a partir de ti mismo.

Dos emociones básicas: amor y miedo

Las personas sentimos seis emociones básicas: sorpresa, asco, miedo, alegría, tristeza e ira. Un reciente estudio eleva a 27 las categorías emocionales, pero en este capítulo abordo de manera simple solo dos de estas emociones. El ser humano se mueve por dos emociones básicas: el amor y el miedo. Sé que puedo parecer simplista, pero desde la Inteligencia Emocional, se ha demostrado que en nuestro cerebro hay dos vibraciones de onda que corresponden a estas dos emociones.

La tendencia actual parece encaminarse hacia la satisfacción propia. Esto ocurre muy a pesar de que existen suficientes estudios sobre la bioquímica del cerebro que aseguran que el pensamiento egocéntrico lleva, a largo plazo, a un estado de insatisfacción personal. Apuntando más hacia las virtudes espirituales; una vida espiritual fructífera resulta de la amabilidad hacia los demás. Ante situaciones difíciles ,mantener serenidad, aceptar los valores ajenos, conocer las fortalezas y debilidades, cubrirnos de esperanza, buscar la paz interior, y conquistar la madurez, desarrollan la salud y la fortaleza espiritual. La auténtica felicidad no depende de la suerte y de los genes, sino del trabajo personal que realicemos para conquistarla.

Por otra parte, soñar con sentirse realizado y ser feliz en la vida, es una cuestión vital para la felicidad. La superación personal comienza con el interés de conocerse a uno mismo. Sin embargo, algunos no lo logran porque no tienen en cuenta un principio básico: darse el justo valor para el que han sido creados en esta vida.

Hemos sido creados por amor, para amar y ser amados. Para poder usar todo el potencial personal, requerimos ejercer nuestros distintos roles con madurez emocional, y haber formado el carácter espiritual en unidad con nuestra espiritualidad. Tenemos garantía de este proceso cuando nos esforzamos en crear proyectos que producen bienestar en los demás. El principio bíblico precede la búsqueda de aceptación y compañía, y la gran necesidad del ser humano de sentirse valorado y sentir un amor volcado hacia los demás.

De igual manera sucede con la identidad que se establece en vínculos saludables con los demás. Adquirimos esta virtud cuando estamos dispuestos a dar lo mejor de nosotros, haciendo el uso correcto de nuestros talentos y dones en comunión con el propósito y el plan original de Dios.

Por otro lado, la decadencia humana hace que anhelemos el amor desde la satisfacción propia centrada en el yo. Más que ceder, el amor consiste en reconocer la posibilidad de disfrutar de la realización de los demás. Lo contrario a esto, el modo retorcido, se vuelca en la búsqueda de un amor basado en los problemas de convivencia, en las conductas de inadaptación social, los actos ilícitos, la promiscuidad, la drogadicción y el delinquir. Los anteriores encuadran los gritos de dolor que produce el desamor.

En el diván de todo terapeuta se abordan las secuelas ocasionadas por la falta de autoestima; la ceguera emocional de no reconocer el poder transformador del amor en su origen divino, que rescata la dignidad humana. La dignidad que nos confiere el tener una relación con el Señor, nos da la oportunidad de sabernos amados en la convivencia con los demás. Sabemos que la depresión tiene su origen en los sentimientos de abandono, vacío y soledad, en consonancia con una personalidad ansiosa. Ambos padecimientos están a la orden del día en las listas de espera del profesional de salud mental, y se generan por una vida sin sentido, separada de la sabiduría de Dios.

No podemos resolver nuestros problemas emocionales sin la certeza de un Dios que nos ama y quiere lo mejor para nuestras vidas. Hemos perdido la profundidad espiritual, y esto nos ha llevado a sufrir una caída en los demás aspectos de nuestra existencia, a llevar una vida sin propósito, a no ser capaces de recibir amor o a darlo a los demás con la dignidad que el propio amor demanda.

En algún momento de nuestras vidas vamos a requerir restablecer quiénes somos, volver a comenzar, reiniciarnos, renacer, mirarnos de nuevo. La propia existencia lo demanda después de terminar un proyecto, la jubilación, un divorcio, una pérdida amorosa, una nueva carrera universitaria, un cambio de país, o simplemente por haber alcanzado la plena madurez. Y para poder hacerlo, debemos mirarnos de forma objetiva y saber cuáles son las emociones que nos llevan a superar los problemas, o cuáles aquellas que nos alejan de lo que queremos lograr en la vida.

La tendencia sobresaliente es a desconectarnos emocionalmente. Los desafíos que plantean los grandes proyectos de esta época tecnológica, agrandan cada vez más la brecha entre la conciencia y el propósito para el cual fuimos creados. Es preciso reconectar, rogando que el poder sobrenatural de Dios sea manifiesto en una transformación personal y espiritual en cada uno de nosotros. Por ello el recorrido intrapersonal que aumenta el autoconocimiento es aquel que está en una sola unidad con Dios. Solamente su amor transformador edifica maravillosamente nuestra vida sobre verdades eternas.

El único que puede sanar la mente humana es Dios, no hay duda de esto. Sin embargo, en este proceso, la capacidad de libre albedrío que tenemos juega un papel importante. Por lo tanto, ser amados, dar y sentir amor, también es una elección personal que está sujeta a la capacidad de tomar decisiones firmes, coherentes, significativas y responsables; capacidad a la que nos enfrentamos cuando optamos por el proceso del verdadero arrepentimiento, que lleva a un cambio de actitud definitiva.

En este sentido, recibirás beneficios, sin duda alguna, al mejorar la autoestima y dar amor desinteresado a los demás. Al hacerlo, podrás restituir una unidad que jamás debió dividirse, la división entre Dios y el hombre. Esta separación nos lleva a vivir desconectados de Dios, y esto a su vez nos hace intuir que nos falta algo: el amor esencial para ser felices.

Por esto hay tantas personas que no soportan estar a solas consigo mismas, sin hacer nada, solo con su vacío interior. El corazón humano está lleno de limitaciones que no les permiten amar. Solamente el amor sobrenatural de Cristo hace posible tal amplitud: "Separados de mí, nada podéis hacer" dijo el Maestro. A diferencia de la psicología, la identidad espiritual se aprende a través de la experiencia personal, acentuada en la relación íntima con Dios. Este proceso comienza echando una mirada hacia nuestro interior con una conciencia plena, meditativa, que atienda a la complejidad humana.

Propóntelo, y hazlo

◆ Si en tu búsqueda espiritual te encuentras con cosas que no te gustan y no te sirven, descártalas. Si hay cosas que te hacen feliz y que te conectan más, sigue haciéndolas. No hay un solo camino espiritual que todos debemos seguir, hay tantos caminos como personas en el mundo. Lo importante es descubrir lo que te llena a ti, lo que te hace vibrar a ti, lo que te hace una mejor persona a ti, y hacerlo.

◆ Empieza a meditar. La meditación tiene incontables beneficios. Y no tienes que meditar por mucho tiempo para disfrutarlos. Basta con que medites 5 o 10 minutos todos los días (o siempre que recuerdes) para empezar a sentirte mucho más conectado con el Creador en su Universo y contigo mismo. Si definitivamente la meditación no es para ti, entonces saca al menos unos 30 minutos de tu día para estar en silencio y aprovecha ese silencio para pasar un tiempo contigo mismo.

◆ Supera las barreras que te impiden la espiritualidad. Esas que hacen que no puedas experimentar el bienestar en tu vida, como por ejemplo: la soberbia, el enojo, los resentimientos, la culpa, la vergüenza, el odio, el miedo y el dolor. Estos sentimientos no permiten que puedas vivir con emociones elevadas como la alegría, la serenidad y la paz interior. Primero se tiene que limpiar y sacar la mugre del interior, esa que se acumuló como resultado de albergar constantemente sentimientos negativos, para después llenarlo con amor.

La espiritualidad es una forma de vivir, un estilo de vida; no es sólo hacer meditación. Incluso nuestro trabajo cotidiano puede teñirse de espiritualidad. La manera en que tratamos a nuestra familia y seres queridos puede ser espiritual, como también lo puede ser nuestra forma de soñar y aspirar. Una persona que trabaja su espiritualidad, estará en mejores condiciones emocionales para poner en práctica la serenidad mental para afrontar los problemas. La firmeza de carácter, que paradójicamente se consigue en la fragilidad humana, se logra cuando depositamos nuestra confianza en Dios. La reverencia a Dios facilita el trabajo del Espíritu Santo en nosotros, y nos hace sentir menos preocupados o confundidos, ya que recibimos la ayuda y revelación oportuna para resolver los problemas. Abandonar la vida centrada en nosotros mismos, y concentrarnos en los beneficios terapéuticos de la práctica del servicio desinteresado en favor de otros robustece la autoestima y la relación con los demás. Recuerda que los demás son el efecto espejo de nuestro mundo interior. El modo en que nos trata el mundo es un reflejo de cómo nos visualizamos a nosotros mismos. Y, para el creyente, siempre hay un poder adicional, el Espíritu Santo, quien renueva la necesidad de amor, no solo en el deseo de sentirnos amados y acompañados, sino también acentuando el amor que yace en el origen y motivo de la existencia humana: el amor de Dios y hacia Dios.

9 MÍRATE CON NUEVOS OJOS

---

6. A medida que transformamos nuestra mente, comenzamos
a amar y ser amados.
Descubre cómo renovar tu mente

Hoy, el mundo científico habla de la importancia del proceso de autodescubrimiento. Es decir, descubrir quiénes somos y para qué estamos en este mundo. Para esto debe desarrollarse la intuición, y es necesario comprender nuestra esencia. Como cristianos, no queremos conseguir la libertad emocional haciendo cualquier cosa, sino algo con sentido. Queremos dar testimonio a los demás alineando nuestros valores con una forma de ser totalmente genuina. Pero en algún momento del recorrido podemos pasar por una crisis personal en la que no sepamos qué hacer con nuestras vidas.

Una nueva mirada a nuestros talentos, habilidades, y debilidades, puede ayudarnos a sintonizarnos con nuestra verdadera vocación, en función de avanzar hacia la mejor versión de nosotros mismos. Esta es la raíz de la toma de decisiones inteligentes, que nos llevan a una vida llena de sabiduría, serenidad, alegría, creatividad y amor, y que alivia el peso emocional y a su vez nos ayuda a lograr salir de nuestra zona de seguridad.

El apóstol Pablo lo describe de esta manera: "Sabemos, además, que a los que aman a Dios, todas las cosas los ayudan a bien, esto es, a los que conforme a su propósito son llamados" (Romanos 8: 28).

La historia de Gonzalo

En una ocasión entrevisté a una persona muy exitosa que sobresalía en todo lo que emprendía. Él dirigía una empresa y tenía muchas personas bajo sus órdenes. Me llamó la atención su pensamiento claro y actitud alegre, pero según me comentó, no siempre fue así. Lo llamaremos Gonzalo, y a continuación, su historia, desde su propia perspectiva:

—Confieso que la transformación que sufrí cuando conocí el amor de Jesús en mi vida fue en una edad adulta, a pesar de haber nacido en la iglesia. Fue un proceso mental progresivo, hasta que toqué fondo y me pregunté cómo podría renacer, y si aún tenía posibilidades de seguir viviendo. Sabía que no se nace solo una vez, lo había escuchado predicar innumerables veces en los sermones de los sábados. Tenía claro que nacer de nuevo no significaba un renacimiento físico, sino que se trataba de algo espiritual, pero, ¿qué significaba eso en mi vida? El concepto teórico me hablaba de un cambio mental, de pasar de la indiferencia o la hostilidad hacia Dios, al amor y la devoción por Él y el deseo de vivir según su buena voluntad. Sin embargo, ahora que estaba en dificultades, ¿de qué me servía esto?

Gonzalo continuó su conversación, diciendo:

—Le estaba siendo infiel a mi esposa con mi secretaria, y ella nos encontró en una actitud comprometedora en la oficina. A nadie le gusta 'meter la pata', así que yo siempre trataba de hacerlo todo bien, y si era perfecto, pues mejor. Sin embargo, mi vida cambió en un instante. Ahora solo existía en un plano ideal, ya que las cosas no siempre o casi nunca salen como las planeamos. Mi matrimonio, mi familia, los hijos pasaron a un segundo plano. ¿Por qué? Porque somos criaturas imperfectas y complejas, y en nuestro mundo interno coexisten muchas ideas, emociones, opiniones, conocimientos y valores que no siempre están en armonía. Y pensar que siempre sentí que sostenía la armonía en la vida, y que el rostro bonito de una mujer jamás podría afectar mi estabilidad emocional.

Mientras hablaba, el rostro de Gonzalo mostraba introspección y serenidad.

—Solicité conversar a solas con el anciano de la iglesia, un hombre amable y entrado en años. Lo había conocido en las reuniones de los jóvenes a los que apoyaba mi empresa, prestándoles espacio para que realizaran pasantías en ingeniería mecánica. Le pedí ayuda espiritual. Sabía que me estaba engañando a mí mismo. En ocasiones, otras personas cercanas a nosotros pueden tener una apreciación más objetiva y completa de cómo somos y, en determinadas situaciones, pueden comprendernos y aconsejarnos para actuar mejor de lo que lo haríamos sin ayuda. Recordé que todos tenemos que soportar la visión parcializada de las situaciones emocionales propias y del mundo en general. Como seres humanos, necesitamos del autoengaño para preservar nuestra imagen y lo hacemos de un modo automático. No me consideraba un psicópata, pero aprendí en las clases de psicología de mi época como universitario que el autoengaño no es en sí mismo patológico. Pero mi mente, que fácilmente puede autoengañarse, logra hacer intentos activos para reducirse. Había guardado mi secreto, evitando situaciones o informaciones que podrían causarme malestar, como el hablar con una persona justa sobre mi debilidad.

La lucha Interna

Para este momento, surgió una pregunta en mi mente y la formulé a Gonzalo:

—¿Cómo funciona el "mirarme de nuevo"?

—Primero debemos entender nuestra condición actual como humanos. Hay un problema que todos enfrentamos y Jesús dijo que comienza en nuestro corazón. Necesitamos nacer de nuevo si queremos experimentar un cambio en nuestra vida. Lo percibamos o no, nos esforzamos muy poco por solucionar este problema humano por nuestra propia cuenta. De alguna manera tratamos de compensar o borrar las faltas de nuestra mente, pero sabemos que aún falta algo en nuestro interior: el amor de Dios.

Si bien es cierto que nada podrá satisfacernos por completo, necesitamos a Jesús en nuestra vida y la eterna esperanza de estar con Él para siempre en el cielo. Como seres humanos, tenemos la manía de racionalizar nuestras acciones cuando entran en conflicto con ciertos principios, valores, opiniones, conocimientos o actitudes que tenemos. A esto, la ciencia cognitiva le ha dado el nombre de Disonancia Cognitiva.

Esto se refiere a la fuerza mental que ejercemos para reducir la incomodidad que produce hacer algo incorrecto. Es la tensión psicológica que tenemos que soportar cuando nuestro sistema de creencias presenta una contradicción interna entre dos ideas discordantes o incompatibles, entre lo que hacemos y lo que pensamos. Se trata de una sensación muy desagradable causada por sostener dos ideas contrapuestas. Esto era exactamente lo que Gonzalo estaba experimentando.

Su ejemplo es muy útil para entender este concepto. Gonzalo, una persona con valores y creencias morales inculcadas desde su infancia, se vio envuelto en acciones que él mismo rechazaba: la infidelidad en su matrimonio. Durante un tiempo, mientras duró el adulterio, se vio obligado a introducir en su ser nuevos valores que justificaran su actitud y quizás se decía a si mismo: «la infidelidad es normal, por cada tantos matrimonios hay un porcentaje alto de infidelidades», etc.

Ahora bien, ¿dónde comenzó el cambio? Comenzó en su pensamiento: «Me voy a quedar un ratito más en la oficina con mi asistente a solas, pero solo será esta vez; el lunes busco otra asistente». Gonzalo sabía muy bien que el quedarse a solas con la asistente que le gustaba, era una tentación; pero el problema era que la atracción por la chica terminó siendo más fuerte que él. Entonces bajó la guardia, se quedó a solas con ella y experimentó una sensación agradable con aquella mujer que no era su esposa. Por supuesto, de inmediato comenzó a sentirse mal y surgió la tensión psicológica. Justo en ese momento apareció el *pero* salvador que vino a reducir esa incomodidad. Se tranquilizó diciendo: «Fue solo un desliz, el lunes la despido».

Gonzalo continuó relatando su historia:

—Luego de ser infiel comencé a sentirme tan mal que empecé a justificarme diciendo que la culpa era de mi esposa, porque no me trataba igual o no me hacía caso. Pero ahora reconozco que no puedo soportar el peso de haberle sido infiel, y esta acción me lleva a sentirme culpable y avergonzado.

La disonancia cognitiva es la incoherencia de comportamiento y pensamiento que hay dentro de nosotros, la cual se alivia cuando internalizamos el amor de Dios.

Después de la infidelidad, Gonzalo se vio motivado a reducirla, pues lo ocurrido le producía un enorme malestar y ansiedad. Afortunadamente, logró persuadir a su esposa para recibir terapia juntos, pero si no le hubiera sido posible cambiar la situación, Gonzalo habría intentado cambiar sus pensamientos o la valoración de lo que había hecho, para aceptarlo y tolerar su doble vida; pero esto solo provocaría un bienestar falso en su mente.

El problema comenzó a surgir al convivir con su esposa, al verla diariamente, el sentimiento de culpa comenzó a matarlo por dentro. Esta incomodidad incluso puede producir un tumulto mental que nos aleja de lo que queremos ser si no es tratado a tiempo, y puede llegar a empeorar la falla cometida, haciéndonos sentir cada vez peor.

La lucha interna puede llegar a ser tan desesperante que los intentos por justificarnos ante la situación pueden llegar a causar serios problemas de salud emocional. La disonancia cognitiva en estos casos puede afectar diversos ámbitos de la vida, como el trabajo, las amistades y otros. Buscar ayuda profesional puede llegar a ser la única manera de librarse del sufrimiento.

También sucede en algunos casos que la persona se convence de que tiene un carácter ambiguo, y frustrado, y atribuye a un castigo divino la responsabilidad de sus actos, justificando su falta de empeño por alcanzar nuevamente la armonía. Entonces se manifiesta el arrepentimiento, el cual incluye asumir que las malas acciones causan daño, intenta solventar los problemas con las personas cercanas, sin asumir las circunstancias nefastas en las que los ha envuelto. No reflexionar puede llevarlos a pensar que están recibiendo lo merecido por su actuación. Sin el razonamiento adecuado para desarrollar la empatía, piensan que es un aprendizaje, que en el fondo es bueno para ellos y está acompañado de frases como: «Yo soy así», o «yo digo la verdad, aunque duela».

La historia de Nicodemo

La Biblia nos presenta la historia de Nicodemo. Este gran líder de la sinagoga no comprendía que ser judío no era sinónimo de ser salvo o de haber experimentado un crecimiento emocional y espiritual. No entendía tampoco que el sistema de Satanás, del mundo de pecado de abajo, es incompatible con el sistema de arriba, el de Dios. Había llegado a ser una gran persona por su fuerza de voluntad, pero sus deseos, gustos, aspiraciones e inclinaciones, seguían siendo los mismos con los que había nacido en el sistema de Satanás, ya que tenemos un estado pecaminoso desde el vientre de nuestra madre (ver Salmo 51: 5). El solo hecho de haber nacido en el sistema de este mundo hace que estemos programados de acuerdo al sistema. Ya en capítulos anteriores hemos hablado sobre la importancia del guión de vida en el crecimiento emocional.

Nicodemo acudió de noche a Jesús buscando una conversación intelectual con el Maestro, pero Jesús lo llevó a reflexionar en su estado espiritual, y le dijo que para ser un hijo de Dios y entrar a su Reino necesitaba estar programado de acuerdo con Su sistema. Este era el mismo problema que tenía Gonzalo en su vida.

¿Cuántas veces hemos dado por sentado que los pastores, por ser pastores, lo tienen todo asegurado en la iglesia: la salvación, la felicidad y el éxito? Como la nación judía, muchas veces he pensado que por mis privilegios y mi patrimonio familiar, ya tengo ganado el éxito en mi vida emocional y espiritual.

Es cierto que es posible llegar a tener una conducta externa correcta sin el poder transformador de Cristo. El deseo de poder influir sobre los demás, así como el afán de notoriedad, pueden motivar a un estilo de vida ordenado. El amor propio puede impulsarnos a evitar las apariencias de mal. Un corazón egoísta puede realizar actos de generosidad. En otras palabras, por nuestro esfuerzo humano podemos llegar a aparentar una vida ordenada y de gran influencia. Tal era la situación de Gonzalo, y pudiera ser también la nuestra.

Esta es la razón por la que aún existen experiencias negativas en nuestra mente que no nos permiten tener un verdadero conocimiento en Cristo. Superar un estilo de crianza negligente o autoritaria, que causó inseguridad, provocó abandono, resentimiento, y ahondar en ello para aceptarlo, restaura el potencial personal. Las experiencias traumáticas nos llevan a ser esclavos de nuestro pasado, y de las circunstancias de la vida. Comienza a mirarte con nuevos ojos y vuelve a nacer de arriba (ver Juan 3: 3).

"El poder regenerador, que ningún ojo puede ver, engendra una vida nueva en el alma; crea un nuevo ser conforme a la imagen de Dios. Aunque la obra del Espíritu es silenciosa e imperceptible, sus efectos resultan evidentes. Cuando el corazón ha sido renovado por el Espíritu de Dios, se pone de manifiesto en el estilo de vida". (Elena G. de White, *El Camino a Cristo*, p. 87).

Buscando analizar si esto ha ocurrido en nuestra vida, debemos preguntarnos: "¿Quién es el dueño de nuestro corazón? ¿Con quién están nuestros pensamientos? ¿De quién nos gusta hablar? ¿Para quién son nuestros mejores y más profundos afectos y nuestras mejores energías? Si somos de Cristo, nuestros pensamientos estarán con él y le dedicaremos nuestras más gratas reflexiones. Le consagraremos todo lo que tenemos y somos. Desearemos ser semejantes a él, tener su Espíritu, hacer su voluntad y agradarle en todo". (Elena G. de White, *El Camino a Cristo* p. 58)

La transformación del Espíritu Santo es lo que nos lleva a mirarnos con nuevos ojos, y así podemos ver el reino de Dios que cambia nuestro ser. Al final, el fruto de nuestra transformación física, emocional y espiritual, será la prueba contundente que demostrará si nos hemos mirado con nuevos ojos y hemos nacido de Dios, o todavía estamos viviendo de acuerdo al sistema de abajo, del mundo de pecado. Los que son hechos nuevas criaturas en Cristo Jesús desarrollan la mente de Cristo, y reflejan el fruto del Espíritu, que es: "amor, gozo, paz, paciencia, benignidad, bondad, fe, mansedumbre y templanza" (Gálatas 5: 22-23). Ya no se conforman con su estado anterior, sino que por la fe del Hijo de Dios siguen sus pisadas, reflejan su carácter y mente, y se purifican, así como Dios es puro. Ahora aman lo que en un tiempo aborrecían y aborrecen lo que en otro tiempo amaban. El que era orgulloso y dominante, ahora es manso y humilde de corazón. El que tenía problemas para controlar su ira, ahora le permite al Espíritu Santo controlar sus emociones. El que experimentaba baja autoestima al mirar en su interior, ahora reconoce el valor que tiene en Cristo Jesús.

Propóntelo, y hazlo

◆ Dedica tiempo a Dios. Ama a Dios sin reservas, con todo el corazón, con todas las fuerzas de tu ser, y ama a tu prójimo como a ti mismo. Amar cada día más al Señor, y dejarnos amar por Él con confianza, es la fuente de la unidad en nuestra vida. Habrá momentos en el día que puedas dedicarlos totalmente al encuentro con Él, la oración, la meditación y la visita a la iglesia son oportunidades únicas.

◆ Perdona a los demás y perdónate a ti mismo. Todos cometemos errores, es normal. Lo importante es recordar que no importa si te equivocaste si fuiste capaz de aprender algo. Y no vale la pena malgastar tu energía en rabias, resentimientos y rencores. Acepta lo que pasó y déjalo ir. Recuerda que nada ocurre por casualidad... así que acepta tu presente como resultado de un sinfín de causas pasadas que puede que no entiendas todavía, pero que siempre entenderás más adelante. Y si algo no te gusta, entonces cámbialo.

◆ Realiza el siguiente ejercicio: escribe o visualízate siendo y sintiéndote como quieres, y lo más importante, es que te lo creas de verdad, que generes el sentimiento dentro de ti que corresponde a eso que anhelas. Ya eres todo lo que necesitas ser. Y cierro con esta frase, pues todo lo que necesitas para ser feliz está en tu interior, tan sólo necesitas liberarte de tus propias cadenas (miedo al qué dirán, autoexigencias, autocontrol, enojos). Te liberarás de todo esto cuando te dejes ser y pases a la acción, más allá de lo que tu mente o tus hábitos te digan que tendrías que hacer.

Necesitamos renacer, es decir, tener una transformación espiritual, tal como Jesús le exigió a Nicodemo. Identificar la programación emocional de los primeros años de vida que nos implantaron nuestros padres es fundamental para el autoconocimiento y para mejorar el mal carácter. Esta herencia generacional trasmitida de manera inconsciente en la familia, rige las emociones del presente. Quien no se conozca a sí mismo, probablemente permanecerá en el mismo nivel de madurez emocional de sus progenitores, a pesar de contar con suficiente conocimiento sobre el funcionamiento cerebral y emocional que le serviría para reprogramarse en el presente. La persona inteligente emocionalmente tiene habilidades en cuatro áreas: identifica sus emociones, usa sus emociones, entiende sus emociones y regula sus emociones.

10 REFUERZA TU VOLUNTAD ESPIRITUAL

6. A medida que transformamos nuestra mente, comenzamos a amar y ser amados.
Descubre cómo renovar tu mente

Podemos afectar nuestra realidad en el grado en que podemos volvernos similares al carácter del Señor, que es amor. Al final de nuestro desarrollo espiritual estaremos convencidos que la única cosa que tenemos que cambiar somos nosotros mismos, en lugar de los demás y al mundo. Al cambiar nuestra intención de "para mi propio beneficio" a "para beneficio de los demás", verdaderamente podremos cambiar nuestra realidad.

Apoyándonos en la Biblia, podemos mirar al crecimiento emocional desde una perspectiva espiritual basada en el funcionamiento mental, y no como la ilusión mental de un niño, ya que la euforia trae serios problemas, como la negatividad o el pesimismo. No hay nada más desfavorecedor para el alcance de nuestro máximo potencial que el pecado. Pensamos que no deberíamos sentirnos derrotados, fracasados y humillados, porque no estamos de acuerdo con la imagen que tenemos de nosotros mismos o con la imagen que queremos dar.

Cristo comenzó su obra de conversión tan pronto como el hombre pecó, para que por medio de la obediencia a la Ley de Dios y la fe en Cristo, pudiéramos recuperar la perdida imagen de Dios. Como señalaba antes, en el proceso de crecimiento emocional, los miembros de la iglesia se pueden presentar en tres grandes grupos: El primer grupo son los "bebés emocionales", en el segundo grupo están los "adolescentes emocionales"; y en el último grupo, los "adultos emocionales", que son aquellas personas que reconocen, controlan y asumen la responsabilidad de sus propios pensamientos y sentimientos.

Bálsamo en Galaad

El "bálsamo [heb. *tsori*] de Galaad" debió ser de una calidad extraordinaria, y tener propiedades medicinales especiales. (Jer 8:22; 46:11.). Las emociones positivas pueden ser para nuestra mente como el "bálsamo de Galaad". En la literatura antigua se hallan numerosas referencias a las propiedades curativas del bálsamo, en especial en el caso de las heridas. Todas las referencias a tales propiedades son curativas en las Escrituras; la persona que ha sanado sus heridas emocionales, ha elevado su inteligencia emocional.

La mejor manera de abordar nuestros problemas emocionales será desarrollando la capacidad de resiliencia con la fortaleza que proporciona el temor a vivir en armonía con el amor de Dios. En la vida moderna ha desaparecido el amor y el temor de Dios, e inevitablemente los hombres pasaron a moverse por el amor a sí mismos. Sin el temor de Dios, el temor al sufrimiento domina y esclaviza al hombre. El amor a uno mismo nos separa de Dios. No es de extrañar que tantas personas de inclinación religiosa busquen el "bálsamo en Galaad" del que habló el profeta bíblico, es decir, una curación para sus heridas emocionales y espirituales. En su tiempo, Jeremías el profeta se lamentó: "Han rechazado la mismísima palabra de Jehová, y ¿qué sabiduría tienen?" (Jeremías 8:9). Como los israelitas no se arrepintieron, no recibirían el bálsamo espiritual de Jehová. A eso se refería Jeremías cuando preguntó: ¿No hay bálsamo en Galaad?.

Ese sentimiento de profunda reverencia y respeto a Dios, ese intenso deseo de no desagradarle conlleva a aceptar y querer hacer las cosas teniendo presente lo que es bueno o malo a los ojos del Señor. Esta actitud fundamental con Dios nos lleva a comportarnos sabiamente y a evitar cualquier forma de maldad. Con toda razón, la Palabra de Dios nos dice: "El temor de Jehová es el comienzo de la sabiduría". Por ser uno de los dones del Espíritu Santo, es otorgado a quien pone toda su confianza en el Señor. La reverencia a Dios es una bendición, y además es una de las noticias más hermosas y repetidas en todas las Escrituras.

Cuando el sufrimiento se convierte en desesperanza, quizás se deba a nuestra falta de temor de Dios, a que pensemos que sabemos más que Él, a que ponemos nuestra esperanza en nosotros mismos y en nuestras fuerzas en lugar de levantar los ojos al cielo. La persona que está falta del temor de Dios, vive orgullosa y es esclava del recelo. Al poner su esperanza en sí misma, termina por angustiarse por el más pequeño ruido, tiene miedo a la oscuridad y se asusta de su propia sombra. En cambio, el siervo convertido por el Señor, solo teme a su Señor. (Fragmentos de san Juan Clímaco, *La escala del paraíso*, siglo XIII,d. C.).

Detrás de la actitud de reverencia a Dios, una persona toma decisiones acertadas, incluso cuando nadie la ve. Tiene prudencia frente al peligro, y de este modo evita la desgracia en su vida. Pero quien aprende a manejar las emociones en la sabiduría de Dios, no está exento de envidiar, odiar o desear el mal a alguien en algún momento de su vida, ni aun cuando se considera una buena persona.

Entrega tu voluntad

Lo primero que debemos hacer es entregarnos al dominio del Espíritu Santo. Nada puede ocurrir en nosotros a menos que el Espíritu Santo controle nuestra vida. El Espíritu Santo fue enviado para convencernos de pecado, de justicia y de juicio (ver Juan 16:8). No es posible entrar en la transformación de Dios para desarrollar madurez emocional y espiritual si no entregamos todo dominio al Espíritu Santo. Cuando esto ocurre, el Espíritu Santo pone en nosotros el dominio propio, es decir, la capacidad para usar correctamente nuestras emociones.

"Dios no aceptará nada menos que una entrega sin reservas. Los cristianos indiferentes y pecaminosos nunca podrán entrar en el cielo. No encontrarían felicidad en él, porque no saben nada de los principios elevados y santos que gobiernan a los miembros de la familia real. El verdadero cristiano mantiene abiertas hacia el cielo las ventanas del alma. Vive en compañerismo con Cristo. Su voluntad se conforma a la de Cristo. Su mayor deseo es llegar a ser más y más semejante a él". (Elena G. de White, *Eventos de los últimos días*, p. 164).

"No podemos emplear al Espíritu Santo. El Espíritu ha de emplearnos a nosotros. Por el Espíritu, obra Dios en su pueblo 'así el querer como el hacer, por su buena voluntad' (Filipenses 2:13). Pero muchos no quieren someterse a eso. Quieren manejarse a sí mismos. Esta es la razón por la que no reciben el don celestial. Únicamente a aquellos que esperan humildemente en Dios, que velan para tener su dirección y gracia, se da el Espíritu". (Elena G. de White, *El Deseado de todas las gentes*, pp. 641-642).

El apóstol Pablo lo presenta claramente en Romanos 12: 1-2: "Hermanos, os ruego por las misericordias de Dios que presentéis vuestros cuerpos como sacrificio vivo, santo, agradable a Dios, que es vuestro verdadero culto. No os conforméis a este mundo, sino transformaos por medio de la renovación de vuestro entendimiento, para que comprobéis cuál es la buena voluntad de Dios, agradable y perfecta". Este versículo nos habla de un trabajo en dos flancos. Primero, debemos "presentar nuestro cuerpo" (vers. 1). Pablo hace una analogía de los sacrificios del Antiguo Testamento, donde el adorador llevaba una ofrenda de Holocausto ante el Señor. En esa ofrenda, todo era entregado a Dios. El adorador no reservaba nada para sí mismo. Lo mismo debe ocurrir en el nuevo nacimiento. Debemos entregarle todo a Dios para que Él transforme nuestro ser.

Lo segundo que debe ocurrir está conectado a una decisión que debemos tomar: "No os conforméis a este siglo, sino transformaos por medio de la renovación de vuestro entendimiento" (vers. 2). Muchos creen que no deben hacer nada luego de someterse al Espíritu Santo. Este libro busca demostrar lo contrario. A menos que practiquemos la introspección y le demos acceso total al Espíritu Santo en cada aspecto que necesita ser transformado, no experimentaremos una transformación en nuestra vida.

Una transformación de afuera hacia adentro

La primera parte consiste en la doble obra que hace el Espíritu Santo en nuestra mente. Es una obra de afuera hacia adentro y de adentro hacia fuera. En la obra de afuera hacia adentro, el Espíritu Santo presenta la verdad exaltadora de Cristo en nuestra vida. Usa muchos métodos, especialmente las avenidas del alma. A través de ellas, presenta la Palabra de Dios para que esta nos libere por completo. Por la Palabra de Dios fueron creados los cielos y la tierra (ver Salmo 33: 6). La misma energía creadora que transformó este mundo que estaba desordenado y vacío, puede tomar nuestra mente desordenada y vacía y transformarla en una vida que refleje la imagen de Dios. La Biblia dice: "Y conoceréis la verdad y la verdad os hará libres" (Juan 8: 32). A través de la Palabra de Dios experimentamos un proceso de transformación plena.

La obra del Espíritu Santo en nuestra mente consiste en alimentarla con la verdad. ¿Por qué es importante alimentar nuestra mente con la verdad en el proceso de transformación? Aparte de los hechos ya presentados en otros capítulos, como por ejemplo, el guión de vida que recibimos de nuestros padres y la reprogramación que necesitamos experimentar, hay dos razones que quisiera desarrollar.

1. Las mentes pecaminosas:

En Efesios 4: 23 Pablo utiliza una frase interesante (que se puede comparar con Romanos 12: 2), que dice: "Renovaos en el espíritu de vuestra mente". Ahora bien, ¿qué significa el espíritu de nuestra mente? Significa que la mente humana no es una sofisticada computadora, como señaló Jhon Piper una vez, diciendo que es una procesadora de datos que luego muestra fielmente los datos al corazón para que este dé una respuesta emocional apropiada. La mente tiene un espíritu. En otras palabras, nuestra mente tiene algo que solemos llamar mentalidad. No solo tiene una opinión, sino también un punto de vista o perspectiva. No solo tiene el poder de percibir y detectar, sino también una postura, una conducta, una orientación, una actitud, una inclinación. "Renovaos en el espíritu de vuestra mente" quiere decir que el problema no radica en que simplemente somos humanos, sino en que somos pecadores y tenemos una mente pecaminosa.

2. Las mentes que suprimen voluntariamente la verdad de Dios:

Veamos la forma en que Pedro describe el problema de nuestra mente en 1 Pedro 1: 13-14: "Por tanto, ceñid los lomos de vuestro entendimiento [...] no os conforméis a los deseos que antes teníais estando en vuestra ignorancia".

Hay una ignorancia acerca de Dios, una supresión voluntaria de su verdad (ver Romanos 1: 18), que nos hace esclavos de muchas pasiones y deseos, los cuales perderían su poder si en verdad conociéramos a Dios como debiéramos (ver 1 Tesalonicenses 4: 5). "Los deseos que antes teníais estando en vuestra ignorancia". Pablo llama a estos "los deseos engañosos" (Efesios 4:22). Estos deseos arruinan nuestra vida, destruyen la adoración, nos llevan a tener poca inteligencia emocional y obtienen su poder y vitalidad del engaño de nuestra mente. Hay una clase de conocimiento de Dios, una renovación de nuestra mente que nos transforma porque nos libera del engaño y del poder de los deseos extraños. Esta es la transformación que hace el Espíritu Santo en nuestra vida cuando nos miramos a nosotros mismos.

La ciencia confirma la renovación de la mente

"Nuestro cerebro puede cambiar y volver a crecer. La ciencia argumenta que el cerebro es plástico y puede cambiar momento a momento por la forma en que dirigimos nuestros pensamientos. Las decisiones que tomamos cambian nuestro cerebro. Añadamos a esto el hecho de que todas las mañanas, cuando despertamos, nacen nuevas células nerviosas que se formaron durante el descanso, y que están a nuestra disposición para utilizarlas en la eliminación de pensamientos tóxicos y la reconstrucción de pensamientos saludables. El nacimiento de estas nuevas 'células nerviosas bebés' se llama neurogénesis, lo que nos recuerda el pasaje que dice: 'sus misericordias; nuevas son cada mañana' (Lamentaciones 3: 22-23)". (Carolin Leaf, *Enciende tu cerebro: La clave para la felicidad, la manera de pensar y la salud*, edición digital).

"Lo que pensamos a cada momento del día se convierte en una realidad física en nuestra mente y cuerpo, afectando nuestra capacidad mental y física. Nuestros pensamientos crean reacciones químicas en nuestro cerebro que forman aminoácidos, que a su vez forman proteínas que se manifiestan en nuestro cerebro, cambiando así la estructura de nuestro ADN a través de los pensamientos". (Dawson Church, *The Genie in Your Genes: Epigenetic Medicine and the New Biology of Intention*)

El 75 al 95 por ciento de las enfermedades actuales son el resultado de nuestros hábitos de pensamientos.

Eric R. Kandel, un neuropsiquiatra ganador del Premio Nobel por su trabajo en la memoria, muestra cómo nuestros pensamientos, incluso nuestra imaginación, pueden activar la estructura del ADN y encender o apagar ciertos genes en nuestro cerebro, cambiando la estructura de nuestras neuronas. De esta forma, a medida que pensamos e imaginamos, cambiamos la estructura y la función de nuestro cerebro. Aun el gran psicólogo Freud especuló en el año 1800 que los pensamientos llevan a cambios en el cerebro. En los últimos años, destacados neurocientíficos han demostrado que nuestros pensamientos tienen un poder notable para cambiar el cerebro.

Nuestro cerebro puede operar a nuestro favor o en nuestra contra, porque todo lo que pensamos alterará nuestro cerebro. Esto se aplica a los extremos positivos y negativos del espectro. Por ejemplo, en el trastorno de estrés postraumático (TEPT), el cambio cerebral funciona en contra de la persona. Cuando experimentamos un incidente mental traumático, este cambia fundamentalmente el significado de nuestra vida, y altera estructuralmente el cerebro debido al recuerdo del evento.

Durante el trauma, nuestra mente no puede procesar el estrés producido por el incidente y hace que la experiencia produzca pensamientos tóxicos que nos afectan incontrolablemente. Al revivir el acontecimiento una y otra vez, este se conecta más profundamente a la mente, convirtiéndose en un filtro principal e interrumpiendo la función normal de nuestra vida. Los recuerdos (el revivir un recuerdo traumático muchas veces al día) fortalecen el circuito, empeorando y debilitando nuestro sistema nervioso.

Podemos elegir conscientemente, bajo la dirección del Espíritu Santo, llevar un recuerdo traumático a la parte consciente de nuestra mente, donde esta se vuelve lo suficientemente plástica como para poder cambiarlo. Esto significa que el sustrato físico del recuerdo se va debilitando poco a poco, se hace vulnerable, maleable y puede ser manipulado. Entonces, elegimos reemplazar el aplastante acontecimiento mental con la Palabra implantada de Dios que alimenta nuestra mente y salva nuestra alma (Santiago 1: 21).

Luego, como si un extraño mirara a través de una ventana, observamos ese recuerdo tóxico y traumático como una experiencia que se debilita y muere, pero al mismo tiempo, observamos nuevas experiencias saludables que van creciendo a través de la influencia creadora de la Palabra de Dios, que trae a la mente un pensamiento positivo y transformador. Al practicar esto diariamente, podemos conectar los pensamientos nuevos y saludables cada vez más profundamente en la mente.

Las neuronas que no reciben suficiente señal (el ensayo del incidente negativo) comenzarán a dispararse, separándose, extrayéndose y destruyendo la emoción asociada al trauma. Además, ciertos productos químicos como la oxitocina (enlaces y compuestos químicos), la dopamina (que aumenta el enfoque y la atención) y la serotonina (que aumenta la sensación de paz y felicidad), comienzan a fluir alrededor de los pensamientos traumáticos, debilitándolos aún más. Todo esto ayuda a desconectar y desincronizar las neuronas. Si dejan de disparar juntas, ya no se conectan. Esto lleva a eliminar o abrir esas conexiones y reconstruir las nuevas. En todo esto radica la importancia del mensaje que da Pablo a los Filipenses cuando dice: "Por lo demás, hermanos, todo lo que es verdadero, todo lo honesto, todo lo justo, todo lo puro, todo lo amable, todo lo que es de buen nombre; si hay virtud alguna, si algo digno de alabanza, en esto pensad" (Filipenses 4: 8).

Ahora, ¿cómo se alimenta la mente de la verdad? Leamos la Palabra de Dios diariamente. Esta es la parte humana que no puede ser sustituida por nada. Jesús lo demostró cuando le contestó a Satanás que "no solo de pan vivirá el hombre, sino de toda palabra que sale de la boca de Dios" (Mateo 4: 4). La mente necesita ser alimentada diariamente para poder ser reprogramada. David tenía la costumbre de levantarse temprano en la mañana y poner su esperanza en la Palabra de Dios: "Muy de mañana me levanto a pedir ayuda; en tus palabras he puesto mi esperanza" (Salmo 119: 147, NVI).

Luego en las noches David volvía a permitirle a Dios alimentar su mente: "Bendeciré a Jehová que me aconseja; aun en las noches me enseña mi conciencia" (Salmo 16: 7). Aparentemente, David tenía la costumbre de dejarse influenciar continuamente por la Palabra de Dios: "Aunque los malvados se escondan por el camino para matarme, con calma, mantendré mi mente puesta en tus leyes" (Sal. 119:95). ¡Cuán diferente sería tu mente si pusieras en práctica estas tres costumbres que tenía David para alimentarla!

La obra del Espíritu Santo, de adentro hacia afuera

El Espíritu Santo no solo hace una obra de afuera hacia adentro, sino también de adentro hacia afuera, exponiendo la mente a la verdad que exalta a Cristo. Nuestra mente necesita ser liberada de pensamientos destructivos. Cuando alimentamos nuestra mente con la verdad, esta comienza a cambiar y el cerebro sustituye la mentira con el error, lo falso con lo verdadero. Este proceso será efectivo en nuestra mente en la medida en que "guardamos nuestra mente", para que el poder transformador de la Palabra de Dios pueda cambiarla (ver Prov. 4: 23).

Dentro de nuestro proceso de entrega, está una acción mental: la atención. Según el eminente psicólogo y filósofo William James, la atención "es tomar posesión por la mente, en forma clara y vívida, de uno de lo que pueden parecer varios objetos simultáneamente posibles o trenes de pensamiento. Implica retirarse de algunas cosas para tratar eficazmente con los demás". (William James, *Principios de psicología*.)

Tal parece que la falta de atención pudiera ser nuestro problema. Estamos tan absortos en tantos asuntos, que no prestamos atención a los desenlaces mentales que nos llevan a crecer emocionalmente.

Hasta aquí podemos ser conscientes de nuestra responsabilidad en transformarnos para crear circunstancias a nuestro alrededor más productivas y en función de armonizar con los demás. Es menester analizar nuestra responsabilidad humana en el proceso de transformación, para no conformarnos a este mundo y ser transformados por la renovación de nuestro entendimiento. Dicho sea de paso, cuando en terapia hablamos de "transformar", no nos referimos a convertir a una persona en algo que no es. Nos referimos a apoyar el proceso de esa persona para que pueda encontrar más autoconocimiento, integración y autenticidad en su personalidad y en su vida. Hacer un proceso de crecimiento personal profundo nos lleva inevitablemente a ser más conscientes, más auténticos y amorosos, comprensivos y compresibles con nosotros mismos y con los demás.

No obstante, en todo esfuerzo humano para alcanzar un objetivo, se hace necesario hablar del amor, porque el amor verdadero de Dios en nuestros corazones supera la importancia de cualquier don espiritual. Todos los dones espirituales que Dios nos pueda dar, son verdaderamente útiles cuando los usamos con amor.

En el siguiente y último capítulo de este libro, se trata el amor como la motivación correcta para enfocar nuestra vida al servicio de los demás. Si perdemos el verdadero amor, el apóstol Pablo nos dice: "no somos nada", no tenemos ningún valor, lo que significa que no será apreciado, ni recompensado por Dios. No sirve para nuestra vida espiritual ningún sacrificio, ni la utilización de un don, si no hay amor en nuestros corazones. Hablar todos los idiomas del mundo o hablar en lenguas angelicales sin amor, tal vez pueda hacer mucho ruido, pero es un ruido desagradable para Dios y para los demás. Si percibimos que necesitamos más amor, podemos pedirlo al Señor, estar en su palabra y su presencia llenará nuestra vida del amor de Dios y así lo tendremos para dar en todo lo que hagamos. "Triunfar sobre la naturaleza y sobre sí mismo. Pero nunca sobre los otros". (B. Skinner)

Propóntelo, y hazlo

◆ Desarrolla una relación cercana con Dios. La oración: "Oren sin cesar, den gracias Dios en toda situación.." (1 Tes. 5:17-18). "Pedid y se os dará, buscad y hallaréis; llamad, y os será abierto. Porque todo aquel que pide recibe; y el que busca, halla; y al que llama, se abre". (Lucas 11: 9-10). Para cultivar la vida espiritual cristiana, es importante reconocer que tienes necesidades que sólo Dios puede llenar, por lo tanto, es necesario que la oración forme parte de tu vida. La oración es la forma más directa y efectiva de comunicarnos con Dios.

◆ En momentos de angustia; la oración rítmica: la persona repite una oración aprendida dirigida a Dios. Sería el caso del llamado "Padre nuestro", alguna oración para antes de dormir, o recitar un versículo bíblico. La utilización de oraciones rítmicas calman la ansiedad y prepara la mente para la resolución de problemas. En momentos de preocupación, la repetición ritual de oraciones transmite a menudo tranquilidad de ánimo, principalmente mediante su efecto en la subcorteza cerebral. Esta oración es útil cuando nos quedamos sin palabras, o nos encontramos en un momento de gran excitación.

◆ Otro tipo de oración: la oración sustantiva: la persona expresa con sus propias palabras el motivo de su oración y predispone su corazón a una respuesta y encuentro con Dios. Esta clase de oración suscita un nuevo enfoque, adquiere un nuevo punto de vista. Este cambio, que tiene lugar en la corteza cerebral, calma los mensajes alarmistas enviados a la subcorteza, y los reemplaza por la sensación de que todo va a estar bien. La oración sustantiva es más rica, tiene mayor variedad y permite que expreses tus necesidades, te ayuda a mantenerte atento en el presente y esperará una respuesta personal a tus peticiones.

◆ Existen muchos motivos de oración o momentos diferentes para querernos comunicar con Dios. Es importante que utilices cada uno de ellos y no sólo orar cuando tengas un problema. Puedes orar para dar gracias, adorar y decirle cuánto quieres a Dios y cuánto le necesitas, pedirle perdón por algo que has hecho; cuando te sientas triste o preocupado por algo, cuando tengas una necesidad, o cuando pidas por otras personas.

La oración produce un corazón y mente llenos de paz. Te traerá consuelo en momentos difíciles, esperanza, agradecimiento por lo que tienes y hará que confíes en alguien superior a ti mismo. Con tus plegarias, puedes echar toda tu ansiedad terrenal sobre Sus fuertes hombros. A Él le preocupa todo lo que a ti te preocupa. Como se ha dicho, lo que genera inquietud, debería generar oración.

"El mejor remedio para los que se sienten atemorizados, solitarios o infelices, es salir al exterior, a algún lugar en el que puedan estar en silencio, a solas con el cielo, la naturaleza y Dios. Porque sólo entonces uno siente que todo es como debe ser" (Anne Frank).

11 EL AMOR VERDADERO

7. Y El amor trasciende los límites.
Libera tu potencial y bendice a tu futura generación

Leamos 1 Corintios 13. "Si no tengo amor, de nada me sirve hablar todos los idiomas del mundo, y hasta el idioma de los ángeles. Si no tengo amor, soy como un pedazo de metal ruidoso; ¡soy como una campana desafinada! Si no tengo amor, de nada me sirve hablar de parte de Dios y conocer sus planes secretos. De nada me sirve que mi confianza en Dios me haga mover montañas. Si no tengo amor, de nada me sirve darles a los pobres todo lo que tengo. De nada me sirve dedicarme en cuerpo y alma a ayudar a los demás. El que ama tiene paciencia en todo, y siempre es amable. El que ama no es envidioso, ni se cree más que nadie. No es orgulloso. No es grosero ni egoísta. No se enoja por cualquier cosa. No se pasa la vida recordando lo malo que otros le han hecho. No aplaude a los malvados, sino a los que hablan con la verdad. El que ama es capaz de aguantarlo todo, de creerlo todo, de esperarlo todo, de soportarlo todo. Solo el amor vive para siempre. Llegará el día en que ya nadie hable de parte de Dios, ni se hable en idiomas extraños, ni sea necesario conocer los planes secretos de Dios. Las profecías, y todo lo que ahora conocemos, es imperfecto. Cuando llegue lo que es perfecto, todo lo demás se acabará. Alguna vez fui niño. Y mi modo de hablar, mi modo de entender las cosas, y mi manera de pensar eran los de un niño. Pero ahora soy una persona adulta, y todo eso lo he dejado atrás. Ahora conocemos a Dios de manera no muy clara, como cuando vemos nuestra imagen reflejada en un espejo a oscuras. Pero, cuando todo sea perfecto, veremos a Dios cara a cara. Ahora lo conozco de manera imperfecta; pero cuando todo sea perfecto, podré conocerlo como él me conoce a mí. Hay tres cosas que son permanentes: la confianza en Dios, la seguridad de que él cumplirá sus promesas, y el amor. De estas tres cosas, la más importante es el amor".

La persona que trabaja a diario en su propósito de vida, inevitablemente decide servir a los demás, pues ha despertado en el camino de su existencia. Sabemos que esto lo provoca el conocer a Jesús. Apuntamos a la necesidad de mirarnos de nuevo, descubrir nuestras potencialidades y convertirnos en seres plenamente humanos. Cada quien lo hace siguiendo su propia historia (su guión de vida); es decir, con consciencia de la identidad para la que ha sido creado. Hay un propósito que todos debemos encontrar y que podemos reclamar en cualquier momento de nuestra existencia; un viaje que todos debemos realizar. Para este viaje, Jesús nos dice: "Yo Soy el camino, la verdad y la vida" (Juan 14: 6).

El amor que experimenta la persona transformada por el Espíritu Santo le da un significado que no se puede disfrazar con autoengaños e incoherencias de pensamientos. Esta influencia impacta nuestro día a día, y se ve reflejada en actitudes positivas que causan bienestar en la sociedad, y en la relación con los demás, ya que la persona puede estar consciente de la incoherencia entre su manera de actuar y de pensar. Puede remediar y restaurar cada encuentro con el otro, es por eso que todos debemos preguntarnos si realmente queremos solo "reducir" estas incoherencias, o si tenemos la capacidad de eliminarlas.

Los retos de la vida real no están sujetos a una relación con los demás en una especie de amor celestial en el que se recibe solo lo etéreo. Este amor se extiende a través de situaciones positivas que provocan felicidad en los demás, antes que morir en la desazón de una vida egocéntrica que está ocupada en recibir de los demás o incluso de Dios, sin agradecimiento, y no en darse por el bien del otro. La transformación lleva a dar más allá del compromiso personal.

Martin Buber dijo lo siguiente sobre esta fuerza transformadora: "El amor es una acción cósmica". Quien habita en el amor y contempla el amor, se libera de todo lo que los mezcla a la confusión universal; buenos y malvados, sabios y necios, bellos y feos; todos, uno después de otro, se tornan reales a sus ojos, se tornan otros tantos "tú", esto es, seres liberados, determinados y únicos; los ve a cada uno cara a cara. De una manera maravillosa, surge de vez en cuando una presencia exclusiva. Entonces puedo ayudar, curar, educar, elevar, liberar. El amor tiene la responsabilidad de cambiar un "yo" por un "tú".

Antes que nada, ser plenamente humanos lleva a la persona a una transformación que no termina jamás, no es un producto acabado, sino un proceso vivo. Sin caer en la trampa de sentirnos totalmente seguros, a diario se trabaja la relación con Dios y la naturaleza pecaminosa, las emociones, debilidades y los condicionamientos (las conductas aprendidas).

El amor posee un extraordinario poder transformador que nos pone en contacto con dos dimensiones que forman parte de nosotros: la espiritual y la emocional. Lo sublime y lo terrenal. La reprogramación de nuestro guión de vida, sometido "al ardor del corazón" y los aspectos más rígidos de nuestra personalidad, nos van ablandando a medida que damos y estamos predispuestos a recibir amor. Es entonces cuando estamos preparados para dar el salto propulsor hacia una metamorfosis personal progresiva, la cual nos capacita para afrontar los problemas y trabajar en las debilidades, a fin de vencer las dificultades con los demás.

La mejor manera de reprogramarnos, poco analizada por muchos, es el mecanismo del espejo, que se proyecta en la relación con los otros. Cuando alguien a quien amamos reacciona de la misma forma en la que actuamos inconscientemente, sus pautas vuelven reflejadas a tal extremo que no podemos seguir ignorándolas. De ahí se propicia una nueva oportunidad de crecimiento si estamos abiertos a trabajar en ello.

Los aspectos más desagradables o irritables de nosotros mismos son indicadores de nuestra vieja identidad permanente, enclavada en lo más rígido de nuestra personalidad. Toda relación con los demás brota en nosotros como la semilla ante la luz del sol; hace germinar las estructuras condicionadas de nuestra naturaleza pecaminosa que nos separan del amor de Dios. Actúan como una capa protectora de la identidad construida, convirtiéndose en un obstáculo que nos impide acceder a los potenciales más profundos, que son el amor, la sabiduría, y el bienestar, la naturaleza para la cual fuimos creados.

Por lo tanto, a pesar del miedo que provoque, o el susto por los problemas suscitados en el trato con los demás, esta nos obliga a crear conciencia de nosotros mismos. Más allá de la incomodidad que pueden provocar las distintas relaciones, podemos aprender a sentirnos seguros y confiados ante las dificultades interpersonales. Aquí está la inteligencia que suplicamos para unificar las dos polaridades de nuestra existencia: el cielo y la tierra. "Hágase tu voluntad aquí en la tierra como en el cielo", "ama a tu prójimo como a ti mismo". Soy yo y los demás.

El efecto expansivo del amor hacia el otro se encuentra con nuestras ideas limitantes, las cuales están allí desde la infancia: "Soy bueno...", "soy así...", "merezco el amor...", "pobrecito de mí...". Estar al filo de la navaja nos pone en el límite entre lo conocido y desconocido de la personalidad. Martin Buber expresa esta confrontación de la siguiente manera: "El amor no es un sentimiento que se adhiere al yo, de manera que el tú sea su contenido u objeto; el amor está entre el yo y el tú. Quien no sepa esto, y no lo sepa con todo su ser, no conoce el amor, aunque atribuya al amor los sentimientos que experimenta, que siente, que goza y que expresa".

Lo viejo no sirve para resolver los conflictos, pero nos dispone para utilizar lo nuevo y lo reaprendido. El problema de los recién casados ilustra esta etapa incómoda de la forma de ser en la nueva realidad. La vida de pareja es un espacio emocional reflejado en la frase: "No sé si puedo seguir en este matrimonio, esto no es lo que yo quería". El poder del amor nos ayuda a la regulación de las emociones. Con un corazón abierto y en expansión se derrumba la zona permanente y rígida de la personalidad.

La regulación emocional da paso a un comportamiento que produce la fuerza necesaria para adaptarse al otro, a pesar del dolor de identificar el lado oscuro del otro. De forma paradójica, el amor invita a seguir propagándose precisamente en aquellos aspectos que ya creíamos que eran imposibles. Así sucede milagrosamente cuando damos cabida al perdón en lo perdido, logrando una confianza en la forma de ser; madurando psicológicamente mediante vínculos sanos con los demás, en un profundo conocimiento de uno mismo.

En el corazón restaurado que mantiene una fe viva, si el corazón es una llama, los hábitos viejos son el combustible que alienta el fuego. Los problemas que podamos tener con los demás crean una gran turbulencia interna, pero también liberan poderosos recursos internos que se hallan ocultos detrás de nuestras pautas de comportamiento más habituales. La Biblia nos señala: "Ahora vemos por espejo, oscuramente; pero entonces veremos cara a cara. Ahora conozco en parte, pero entonces conoceré como fui conocido" (1 Cor. 13: 12). Y cuando somos transformados, surge en nosotros el nuevo hombre.

Renunciar a nuestra vieja identidad, la cual apreciamos inconscientemente, alienta temores y resistencias, que son rasgos de personalidad que hemos identificado a pesar de que se mantienen y se manifiestan en situaciones de más presión. Aprovechemos esto para trabajarlos, lo que viene a ser un empuje para pasar a un nivel más alto de espiritualidad: abrir el corazón para amar y ser amado.

La modernidad nos lleva a separarnos de la conexión con la esencia: el amor de Dios. Una distancia abismal que se interpone entre "El amado" y nuestro ser. Para la madre Teresa, la humanidad sufre de una pérdida espiritual. Este mal yace en la emoción de ser indigno de amor, de no tener la capacidad de darlo o recibirlo, y el sentimiento de que hay un muro que nos separa de nosotros mismos y de los demás. Hemos perdido el significado sagrado original del camino espiritual, que nos lleva a entregar nuestra vida para trascender, para alcanzar en plenitud la relación con los demás, aunque nuestro corazón esté destrozado.

Cuando conocemos el poder del amor de Dios, le encontramos el sentido a nuestra existencia: "Ahora permanecen la fe, la esperanza y el amor, estos tres; pero el mayor de ellos es el amor" (1 Cor. 13: 13). El camino que nos conduce a Jesús consiste en darse al otro, en devolver lo que se nos ha dado: la vida en el amor por los demás. Cuando conocemos ese amor, este nos revela la importancia de eliminar la culpa y el miedo, sentimientos que nos separan de Dios. Valoramos más el perdón, que es la clave de la felicidad y valoramos el amor cuando lo experimentamos dándolo a los demás. Llenamos el vacío emocional dando lo que nos hace falta, consecuentemente esto nos lleva a trascender. Somos seres que amamos porque hemos despertado ante el poder del amor. Servimos para ser recipientes del amor divino, articulándonos todos en uno, reconociendo juntos que cualquiera que sea la cuestión, nos llevará a resonar en el amor.

Reflexiona positivamente: la clave estará en distinguir entre lo que el mundo propone como modelo a seguir: un amor egocéntrico basado en el poder personal. Lo que se quiere proyectar para no caer solo en el juego de las máscaras y olvidando que todo comunica, y que también es importante la expresión frente a los otros, cómo me relaciono, si lo hago desde la rabia, el enojo o si soy más cercano y compasivo con los demás. Es como tomar conciencia de que los gestos, la actitud, la personalidad y la imagen de nosotros van de la mano cuando estoy en una relación. Por lo tanto, la ley del espejo será solo una proyección mental, ya que las personas son más que solo apariencia o imagen superficial. Son seres que nos sirven de espejo de lo que hemos cultivado en nuestro interior. Si permaneces en el nivel de lo superficial estarás en un pobre amor propio, puedes proyectar las carencias, olvidándote que tienes una serie de otras cualidades para relacionarte con los demás.

Según lo que has leído hasta ahora, sabes que la esencia sobre la condición humana es que las personas no somos, sino nos transformamos mediante el poder del amor de Dios. Somos cambios constantes. Cambios, que son el resultado de la confrontación entre nuestra historia genética, la programación del guión de vida y los acontecimientos vitales que experimentamos.

Y en ese sentido, en las páginas de este libro se han expuesto historias, sean reales o ficticias, y vengan en forma de cuento, de novela, de poesía, de canción o de película, o de parte de un amigo que nos cuenta una anécdota divertida, o de un intelectual interesado en mostrarnos su visión del mundo, son eventos. Eventos que percibimos, que vivenciamos, y que por supuesto, nos transforman. En nosotros está dejarnos influenciar por el poder del amor.

Esta premisa de decidir transformarnos mediante el aprendizaje de muchas de las historias descritas en este libro como herramienta de cambio y de crecimiento personal, es una opción que podemos aprovechar, y les aseguro que funciona. Por supuesto, una historia no te soluciona un problema o te permite superar un trauma o incapacidad. Eso lo haces tú. Pero aprendiendo cosas nuevas, tendrás más posibilidades de solucionar o superar ese problema, trauma o incapacidad.

Las personas pueden tener algunas actitudes, comportamientos y preferencias que para nada compartimos, y que incluso nos pueden resultar desagradables. Cuando nacemos de nuevo en Jesús y nuestro corazón es restaurado, entonces, ¿es posible que ahora esas diferencias no nos provoquen rechazo? Lo más seguro es que hemos aprendido, con el tiempo, a separarnos de personas, a darnos cuenta de que él es él, y yo soy yo. Y que no tenemos por qué pensar, ni hacer, ni gustarnos lo que al otro, o viceversa.

Una vez transformados, podemos tomar esa distancia con los demás, o no. Si no te resulta necesario, lo puedes pasar totalmente bien y reírte con un desconocido, perdonar y orar por el enemigo, abrir tu mente respecto a las diferencias, y superar viejos problemas. Y sobre todo, darte cuenta que el otro también tiene su propia historia que necesita ser restaurada en Cristo Jesús.

Finalmente, puedo concluir con el consejo de Pablo a la iglesia de Corinto para que puedas ser transformado: "Por tanto, nosotros todos, mirando con el rostro descubierto y reflejando como en un espejo la gloria del Señor, somos transformados de gloria en gloria en su misma imagen, por la acción del Espíritu del Señor" (2 Corintios 3: 18).

Cuando nos miremos y pongamos nuestra atención en Jesús, en su Palabra, en sus obras y ministerio, experimentaremos una transformación mental y podremos experimentar un nuevo nacimiento.

"El que no ama, no ha conocido a Dios; porque Dios es amor."

1 Juan 4:8

BIBLIOGRAFÍA

1. Augusto, L.M. (2010). *Unconscious knowledge: A survey.* *Advances in Cognitive Psychology* 6, pp. 116-141.

2. Allport, G.W. & Ross, J.M (1967). Personal religious orientation and prejudice. Journal Personality Social Psychology, 5, 432-443.

3. Allport, G. (1996) *La personalidad.* Barcelona: Herder

4. Arriaga J.C (2006). *Analisis Conceptual del Aprendizaje Observacional y la Imitación.* Revista Latinoamericana de Psicología (2006), volumen 38, No 1, 87-102.

5. Aristóteles, *Ética a Nicómaco,* libro VIII.

6. Baldacchino, D.R. & Buhagiar, A. (2003). *Psychometric evaluation of the Spiritual Coping Strategies scale in English, Maltese, back-translation and bilingual versions.* Journal of Advanced Nursing, 42, 558-570.

7. Balswick, J. O., King, P. E., y Reimer, K. S. (2005). *The reciprocating self: Human development in theological perspective,* Downers Grove, IL: Inter Varsity Press.

8. Barrett, L. F. (2017). *How emotions are made: The secret life of the brain.*

9. Baron, Robert A. y Donn Byrne. (1998). *Psicología social.* Madrid: Prentice Hall Iberia.

10. Bartz, W. R., y Rasor, R. A. *Why people fall in and out of romantic love.* *Sexual Behavior,* diciembre de 1972, pp. 33-39.

11. Beck, J. (1995). *Cognitive Therapy: Basics and Beyond.* New York: The Guilford Press

12. Beit-Hallahmi, B. & Argyle, M. (1997). *The psychology of religious behaviour, belief and experience.* London: Routledge.

13. Branden Nathaniel (1962). *El poder de la autoestima.* Editorial Paidos.

14. Bruce H. Lipto. (2015). *The Biology of Belief.* Hay House Inc. CA

15. Bonanno, G.A. (2004). *Loss, trauma and human resilience: Have we underestimated the human capacity to th-rive after extremely aversive events?* American Psychologist, 59, 20-28.

16. Bonanno, G.A. y Kaltman, S.(2001). *The Varieties of Grief Experience.* Clinical Psychology Review, 21,705-734.

17. Bowlby, J. (1982). *Attachment and loss.* Nueva York, NY: Basic Books, Inc., t. 1 p. 176

18. Bowlby, J. (1960). *«Grief and mourning in infancy and early childhood».* The Psychoanalytic Study of the Child (en inglés) **15**: 9-52.

19. Bowlby, J. (1960). *«Separation anxiety».* International Journal of Psychoanalysis (en inglés) **41**: 89-113. PMID 13803480.

20. Bowlby, J. (dicembre de 1986). *«Citation Classic, Maternal Care and Mental Health»*(PDF) **50** (18 edición). Current Contents. Consultado el 13 de julio de 2008.

21. Bucay, J. (2005). *De la autoestima al egoismo.*Integral del nuevo extremo.

22. Buscaglia, L. F. (1977). *Love,* Thorofare, Nueva Jersey: Charles B. Slack.

23. Bunge, M. (2001). *Diccionario de filosofía,* México: Siglo XXI.

24. Carl Gustav. (1999). *Obras completas,* Madrid: Editorial Trotta.

25. Carver, CH & Scheier, M. F. (1997) *Teorías de la personalidad.* Mexico D.F: Prentice-hall hispanoamericana S.A

26. Conte. R y Paolucci, M (2001).*Aprendizaje Social Inteligente .* Journal of Artificial Societies and Social Simulation vol. 4, no. 1.

27. Dawson Church. (2008). *The Genie in Your Genes: Epigenetic Medicine and the New Biology of Intention*. Fulton, CA: Energy Psychology Press.

28. Davenport, Barrie. *Relationship Questions Journal: A Diary for Two to Build Trust and Emotional Intimacy.*

29. Di Caprio, N. (1992). *Teoría de la personalidad*. México: Mc.Graw- Hill.

30. Dunning, D. Hayes, A. F. (1996). *Evidence for egocentric comparison in social judgment*. Journal of Personality and Social Psychology. 71, pp. 213-229.

31. Eric R. Kandel. (2006). *In Search of Memory: The Emergence of a New Science of Mind*. Nueva York: Norton.

32. Elena G. de White, *El Camino a Cristo*, cap. 7, p. 87

33. Elena G. de White, *Mente, carácter y personalidad*, t. 1, p. 209.

34. Elena G. de White, *Eventos de los últimos días*, cap. 13, p. 164

35. Elena G. de White, *El Deseado de todas las gentes*, cap. 73, pp. 641-642

36. Elena G. de White. *Testimonios para la Iglesia*, Tomo 5.

37. Elena White, *La educación Cristiana*.

38. Fernández-Ríos, Manuel Vilariño, Luis, Manuel. (2016), *Mitos de la psicología positiva: maniobras engañosas y pseudociencia*. Universidad de Santiago de Compostela.

39. Fenigstein, Allan, Kenyon College (octubre de 1984). *Journal of Personality and Social Psychology*, 47 pp. 860-870.

40. Festinger, L. (1957). *A theory of cognitive dissonance*. Stanford, CA: Stanford University Press.

41. Frankl, V. (1978). *Psicoterapia y Humanismo. México* D.F: Fondo de cultura económica

42. Fromm, E. (1956). *The art of loving*. Nueva York: Harper.

43. George Boeree (2003). *Teorías de la personalidad, de Abraham Maslow* Traducción: Rafael Gautier.

44. Goleman, Daniel (1998), *La Inteligencia Emocional en la Empresa*, Vergara, Argentina.

45. Goleman, Daniel (2015). *El cerebro y la inteligencia emocional: Nuevos descubrimientos.* Penguin Random House Grupo Editorial España.

46. Gustav Jung. Psicología do inconsciente.2011. *Carl obras de Gustav Jung.* Editora vozes

47. Harlow, H. (1958). «The Nature of Love». *American Psychologist* (en inglés) (12 edición) **13**: 573-685. doi: 10.1037/h0047884.

48. Hasher L, Zacks RT (1984), *"Automatic processing of fundamental information: the case of frequency of occurrence"*. Am Psychol 39 (12): 1372-88.

49. Holmes Jeremy. (2011). *Teoría del apego y psicoterapia. En busca de la base segura* 2ª edición Biblioteca De Psicología. Desclée De Brouwer.

50. Jung, Berne, *The Advertised Mind: Ground-Breaking Insights into How Our Brains Respond to Advertising,* por Erik du Plessis.

51. James, William. (1950). *The Principles of Psychology.* Nueva York: Dover.

52. Labake, Julio Cesar. (2008), *Introducción a la psicología (nivel medio).* Buenos Aires, Argentina: Editorial Bonum.

53. Kassin, S., Fein, S. y Marcus, H. R. (2010). *Psicología social.* México: Cengage Learning Editores.

54. Lacan, J. (1986) El seminario. Libro 2. *Las Psicosis.* Madrid. Editorial Paidós.

55. Laswell, M., Lobsenz, N. M. (1980). *Styles of loving.* Nueva York: Doubleday.

56. LeDoux. K. E. (2014). *Coming to terms with fear. Proceedings of the National Academy of Sciences USA*, t. 111, nº 8, pp. 287-2878.

57. Leaf, C. *Enciende tu cerebro: La clave para la felicidad, la manera de pensar y la salud*, edición digital.

58. Lorenzo Pontevedra, M. Carmen. (2007). *Saber para vivir, autoestima* (traducción y revisión lingüística Nova Galicia Edicións), Vigo: Nova Galicia Edicións.

59. Martin E.P. Seligman (2011). *La Autentica Felicidad.* Editorial: Zeta Bolsillo.

60. Maslow, A. (1985). *El hombre autorrealizado: hacia una psicología del ser.* Bs. Aires: Troqvel.

61. Maslow, Abraham (1943). *A Theory of Human Motivation*

62. Marvin, R. S., Britner, P. A. (2008). *«Normative Development: The Ontogeny of Attachment».* En Cassidy, J., Shaver, P. R. Handbook of Attachment: Theory, Research and Clinical Applications (en inglés). Nueva York y Londres: Guilford Press. pp. 269-94.

63. Martin, Buber (2011). *I and Thou.* Amazon Digital Service.

64. Matta William J. (2006). *Relationship Sabotage: Unconscious Factors that Destroy Couples, Marriages, and Families (Sex, Love, and Psychology).* Connecticut: Prager.

65. Mayer, J., Salovey, P. y Caruso, D. (2000). *Emotional intelligence as Zeitgeist, as personality, and as mental ability.* En R.J. Sternberg (Ed.), Handbook of emotional intelligence (pp. 92-117). San Francisco: Jossey Bass.

66. May, R.(1963). *Psicología existencial.* Buenos Aires: Paidos

67. Monbourquette Jean (2008). *Autoestima y cuidado del Alma.* Ottawa:Bonum.

68. McMinn, M. R., y Campbell Clark, D. (2007). *Integrative psychotherapy: Toward a comprehensive Christian approach,* Downer Grove, IL: IVP Academic, p. 30

69. Miller, H. L., y Siegel, P. S. (1972). *Loving: a psychological approach*, Nueva York: Wiley.

70. Mischel, W. (1990). *Teorías de la Personalidad*. México: Mc.Graw-Hill Monereo, C (2014).

71. Millward Brown, *Johannesburg Book* revisado por Mark Truss, JWT. Reproducido con el permiso del *Journal of Advertising Research*.

72. Mitchell I. J. & Gillespie, Steven M. (2915).

73. Norwood, R. (1985). *Las mujeres que aman demasiado*. Buenos Aires: Javier Vergara.

74. Norman Doidge. (2007). *The Brain That Changes Itself: Stories of Personal Triumph from the Frontiers of Brain Science*. Nueva York: Penguin Books; Joe Dispenza. (2007). *Evolve Your Brain: The Science of Changing Your Brain*.

75. Perls, Fritz (1976). *El enfoque gestáltico*. Santiago de Chile, Cuatro vientos.

76. Pipper John (2011). *Piense*. Tyndale House Publishers.

77. Puig. A. M. (2010). *Reinventarse: tu segunda oportunidad* (Plataforma actual) (Spanish Edition).

78. Punset, E. (2012). *Viaje a las emociones: las claves que mueven el mundo: la felicidad, el amor y el poder de la mente*, Versión Kindle, Editorial Destino.

79. Quintilla, H. G, (2017). *Autoestima para vivir* (ebook). Cómo confiar en ti mismo y lograr lo que deseas. Editorial: Ediciones Paidós.

80. Q. Park, Thorsten Kahnt, Azade Dogan, Sabrina Strang, Ernst Fehr y Philippe N. Tobler. (2017). *A neural link between generosity and happiness. Nature Communications*, t. 8, Artículo: 15964.

81. Richlack, J (1988). *Personalidad y Psicoterapia*. México D. F: Trillas

82. Rick Warren. (2002). *La vida con propósito: ¿Para qué estoy aquí en la tierra?,* Grand Rapids: Zondervan, p. 334.

83. Rogers, C y Kinget, N. (1967). *Psicoterapia y relaciones humanas.* Madrid: Alfahuara

84. Rogers, C. (1977). *Psicoterapia centrada en el cliente.* Buenos Aires: Paidós.

85. Rogers Carl, Barry Stevens, y colaboradores (2013). *Persona a persona. El problema de ser humano. Una nueva tendencia en psicología.* Buenos Aires: Amorrortu Editores. ISBN 978-950-518-161-2.

86. Rogers Carl. (2000). *El proceso de convertirse en persona: mi técnica terapéutica.* Barcelona: Ediciones Paidós Ibérica. ISBN 84-493-0993-X.

87. Rogers, Carl (2004, 2013). *Grupos de encuentro.* Buenos Aires: Amorrortu Editores. ISBN 978-950-518-157-5.

88. Rutter, M. (2008). *«Implications of Attachment Theory and Research for Child Care Policies».* En Cassidy, J., Shaver, P. R. *Handbook of Attachment: Theory, Research and Clinical Applications* (en inglés). Nueva York y Londres: Guilford Press. pp. 958-74. ISBN 978-1-59385-874-2.

89. Sanathara, V.A., Gardner, C.O., Prescott, C.A. & Kendler, K.S. (2003). *Interpersonal Dependence and Major Depression: Aetological Interrelationship and Gender Differences.* Psychological Medicine. 33(5), 927-931.

90. Scazzero, P., Bird, W. (2003). *The emotionally healthy church: A strategy for discipleship that actually changes lives.* Grand Rapids, Mich.: Zondervan.

91. Schaeffer, B. (1998). *¿Es amor o es adicción?,* España: Apóstrofe.

92. Santandreu, R. (2018). *Nada es tan terrible,* Editorial Grijalbo.

93. Satir, Virginia. (1998). *Relaciones humanas en el núcleo familiar.* México: Editorial PAX.

94. Teasdale, J. & Fennell, M. (1982). *Immediate Effects on Depression of Cognitive Therapy Interventions. Cognitive Therapy and Research,* 6, 343 – 351.

95. Van der Horst, F. C. P., LeRoy, H. A., van der Veer, R. (2008). *«"When strangers meet"*: John Bowlby and Harry Harlow on attachment behavior»* (PDF). *Integrative Psychological & Behavioral Science* (en inglés) **42** (4): 370. PMID 18766423. doi:10.1007/s12124-008-9079-2. Consultado el 11 de setiembre de 2008.

96. Verduzco Alvarez-Icaza, Lucio Gómez-Maqueo, Durán Patiño. (2004). *La influencia de la autoestima en la percepción del estrés y el afrontamiento en niños de edad escolar.* Salud Mental.

97. Waters, E., Kondo-Ikemura, K., Posada, G., Richters, J. (1991). *«Minnesota Symposia on Child Psychology».* En çGunnar, M., Sroufe, T. Learning to love: Mechanisms and milestones (en inglés) (Self-Processes and Development edición) (Hillsdale, NJ: Erlbaum) 23.

Made in the
USA
Lexington, KY